D1240597

OUVRAGES DU MÊME AUTEUR

CHEZ LE MÊME ÉDITEUR :

Faux-Jour. *(Prix Populiste 1935.)* Roman.
Le Vivier. Roman.
Grandeur nature. Roman.
L'araigne. (*Prix Goncourt 1938.*) Roman.
Judith Madrier. Roman.
Le Mort saisit le vif. Roman.
Le Signe du taureau. Roman.
La Clef de voûte. *(Prix Max-Barthou, de l'Académie française, 1938.)* Nouvelles.
La Fosse commune. Nouvelles.
Le Jugement de Dieu. Nouvelles.
La Tête sur les épaules. Roman.
L'Étrange Destin de Lermontov. Biographie.
Pouchkine. Biographie.

LES SEMAILLES ET LES MOISSONS. Roman.

I. Les Semailles et les moissons.
II. Amélie.
III. La Grive.
IV. Tendre et violente Élisabeth.
V. La Rencontre.

De Gratte-ciel en cocotier. Voyages.
Le Fauteuil de Claude Farrère. Discours de réception à l'Académie française.

AUX ÉDITIONS DE LA TABLE RONDE :

Une extrême amitié. Roman.

TANT QUE LA TERRE DURERA. Roman.

I. Tant que la terre durera.
II. Le Sac et la cendre.
III. Étrangers sur la terre.

La Case de l'oncle Sam. Voyages.

AUX ÉDITIONS FLAMMARION :

La Neige en deuil. Roman.
La Pierre, la Feuille et les Ciseaux. Roman.
Anne Prédaille. Roman.
Grimbosq. Roman.
Le Front dans les nuages. Roman.
Le Prisonnier n° 1. Roman.
Le Pain de l'étranger. Roman.
La Dérision. Roman.
Marie Karpovna. Roman.
Le bruit solitaire du cœur. Roman.
Toute ma vie sera mensonge. Roman.
La Gouvernante française. Roman.
La Femme de David. Roman.
Aliocha. Roman.
Youri. Roman.
Le Chant des insensés. Roman.
Les Ponts de Paris, illustré d'aquarelles.

LES EYGLETIÈRE. Roman.

I. Les Eygletière.
II. La faim des lionceaux.
III. La Malandre.

L'ARAIGNE

Suite

LA LUMIÈRE DES JUSTES. Roman.

I. Les Compagnons du Coquelicot.
II. La Barynia.
III. La Gloire des vaincus.
IV. Les Dames de Sibérie.
V. Sophie ou la Fin des combats.

LES HÉRITIERS DE L'AVENIR. Roman.

I. Le Cahier.
II. Cent un coups de canon.
III. L'Eléphant blanc.

LE MOSCOVITE. Roman.

I. Le Moscovite.
II. Les Désordres secrets.
III. Les Feux du matin.

VIOU. Roman.

I. Viou.
II. A demain, Sylvie.
III. Le Troisième Bonheur.

Du Philanthrope à la rouquine. Nouvelles.
Le geste d'Ève. Nouvelles.
Les Ailes du diable. Nouvelles.

Gogol. Biographie.
Catherine la Grande. Biographie.
Pierre le Grand. Biographie.
Alexandre Ier. Biographie.
Ivan le Terrible. Biographie.
Tchekhov. Biographie.
Tourgueniev. Biographie.
Gorki. Biographie.
Flaubert. Biographie.
Maupassant. Biographie.
Alexandre II. Biographie.
Nicolas II. Biographie.
Zola. Biographie.

CHEZ D'AUTRES ÉDITEURS :

Dostoïevsky, l'homme et son œuvre. Biographie. (FAYARD).
Tolstoï. Biographie. (FAYARD).
Sainte Russie. Réflexions et souvenirs. (GRASSET).
Naissance d'une dauphine. Roman (GALLIMARD).
Les Vivants. Théâtre. (André BONNE).
Un si long chemin. Conversations avec Maurice Chavardès. (STOCK).

HENRI TROYAT
de l'Académie française

L'ARAIGNE

roman

PLON
76, rue Bonaparte
PARIS

© Librairie Plon, 1938
et 1993 pour la présente édition.
ISBN 2.259.02799-7

PREMIERE PARTIE

I

Un coup de sonnette le fit tressaillir. Il regarda sa montre : une heure. Ni sa mère ni ses sœurs ne pouvaient être de retour. Des pas se rapprochaient dans le couloir sonore. Gérard Fonsèque se dressa hors de ses couvertures :

— Qui est-ce ?

— Lequesne. Je vous dérange ?

Le battant s'ouvrit sur un grand garçon au visage dur et brun comme un silex et aux lourds yeux de fille. Sa pomme d'Adam pointait net sur un cou irrité par le rasoir. Il portait des souliers vernis.

Il s'arrêta, interdit, sur le seuil de la chambre, où les volets mi-clos maintenaient une pénombre chaude, fumeuse. Aux murs étaient fixés des rayons bourrés de livres. Des papiers s'étalaient sur la table, autour d'un crâne en plâtre qui servait d'encrier. L'air sentait la trans piration aigre et les médicaments.

Lequesne s'avança vers le lit où son ami reposait, barbu, malingre, suant de fièvre. Il serra une main moite.

— Vous avez fui les réjouissances nuptiales ? demanda Gérard.

— Votre mère m'a appris que vous étiez malade. J'ai tenu à vous rendre visite. Comment vous sentez-vous ?

— Je vais mieux. Merci. Alors, cette cérémonie ? Assommante, hein ?

— Mais non, très réussie.

— C'est bien ce que j'ai voulu dire !

Fonsèque ricanait, frottait l'une contre l'autre ses faibles paumes brûlantes. Il n'avait pas voulu assister au mariage de sa sœur. Avant-hier même, il s'était promené sans manteau, sans chapeau, sous la pluie, dans l'espoir valeureux de prendre froid. A présent, il devait dépasser 39. Mais que n'eût-il supporté pour s'épargner le spectacle de Luce pénétrant dans l'église, traversant l'église, s'agenouillant près de ce Paul Aucoc, pâle et gras comme un chat de poubelles ? Il grommela :

— Je hais ces fastes religieux à grand déballage de toilettes, de musiques et de médisances. Le côté pauvrement théâtral de la chose me répugne. C'est la papillotte à festons autour du jambon fumé. Donnez-moi des détails. Luce ?

— Très belle. Radieuse, recueillie...

— La tradition l'exige !

— Lorsqu'elle est passée au bras de votre oncle...

Lequesne parlait lentement. Il paraissait chercher ses mots ou ne se souvenir qu'à contrecœur de la scène. Gérard l'écoutait avec une attention torturée. Chaque phrase enfonçait plus profondément cette douleur, cette rage sourde qu'il éprouvait depuis quelques semaines. Cependant, il avait soif d'en savoir davantage.

— Beaucoup de monde ?

— Oui. Le défilé à la sacristie a été interminable.

Aussitôt, Gérard imagina la sacristie étroite, les mariés et leur parentaille alignés contre le mur, comme pour essuyer un feu de peloton, l'avance piétinante des invités, les félicitations, les embrassades. Luce et Paul Aucoc s'entre-présentaient leurs amis : «Mon mari... ma femme.» Ils mettaient tout en commun déjà ! Les premiers acquêts du ménage !

— Qui avez-vous remarqué ?

— Eh bien ! Madame Rouget. Les Chaumont. Monsieur Duplessis, Monsieur Garde...

Ces gueules ravagées ! On avait convoqué le ban et l'arrière-ban des connaissances. Salle comble ! Bureaux fermés ! Quelle farce !

— Vous avez entendu des réflexions ?

— Bien sûr... Très flatteuses...

« Il y en a un qui ne s'embêtera pas cette nuit », voilà le genre de «réflexions flatteuses» qu'on échange dans ces circonstances ! Ah ! c'était un beau mariage ! Un parti inespéré. M. Aucoc avait une fabrique de salaisons. Et son fils travaillait avec lui. Mais Luce ne l'aimait pas. Elle l'épousait pour l'appartement, pour les relations, pour les vacances dans le Midi. Elle avait saisi l'occasion avec une hâte de petite grue ambitieuse : la fièvre rapace et minuscule de ces femmes qui se ruent sur les étalages des grands magasins, fouillent les montagnes de coupons, se bousculent, s'égratignent, pour ramener le meilleur morceau au bout de leurs pattes tremblantes. Elle avait ramené le meilleur morceau. Elle était heureuse. Et sa mère était heureuse. Et tout le monde était heureux, sauf lui.

Il se rappela le visage de Mme Fonsèque, élargi de satisfaction marchande, ce matin où elle lui avait annoncé la nouvelle : «Luce est fiancée.» Il n'avait pas deviné, sur le moment, l'étendue exacte du désastre. Mais, dès les jours suivants, le supplice atroce commençait. Luce n'était plus la même. Elle avait quitté la maison de couture où elle travaillait depuis deux ans. Entre elle et sa mère, il n'était question que de toilettes, d'ameublements, de listes d'invités et de préséances. A mesure que la date approchait, les visites entre les familles se multipliaient à l'excès. Les Aucoc chez les Fonsèque. Les Fonsèque chez les Aucoc. On tassait les deux tribus l'une dans l'autre. On préparait le cocon moelleux du ménage. Dîners interminables, où le père Aucoc, géant corseté, mafflu et aux moustaches teintes, pérorait avec une voix de basse-taille, et il fallait l'attendre pour changer les assiettes. Le café au salon. Luce et Paul jouant aux tourtereaux modèles, la main dans la main, les yeux dans les yeux. Parfois, le fiancé exhibait des photographies, et Luce s'extasiait sur un ton acidulé de fillette :

— C'est vous sur ce rocher ? Que c'est amusant ! Et ça comme c'est amusant ! Et ça, c'est fou ce que c'est amusant !

Lorsqu'ils étaient partis, elle gribouillait sur un calepin des projets d'initiales pour son trousseau. Un soir, elle avait tendu à Gérard quelques feuillets où s'étageaient des ronds, des carrés, des losanges, frappés au centre des lettres L.F.A. tendrement entortillées.

— Donne-moi un conseil.

Ces monogrammes aux jambages enlacés évoquaient si exactement l'union du couple qu'il n'avait su que répondre, étonné et triste jusqu'aux larmes.

Il fit un effort pour dominer cette pensée qui l'obsédait. Parler d'autre chose, vite. Dire n'importe quoi. Se passionner pour n'importe quoi !

— Laissons cela. Ce soir même, la famille me fera un compte rendu précis du mariage. Je ne veux pas lui couper ses effets.

Il haletait un peu. Il regarda Lequesne à la dérobée. Le jeune homme paraissait fatigué, absent. Il feuilletait sur la table cette traduction d'un roman policier anglais, à laquelle Gérard travaillait depuis quelques jours :

— Je ne l'ai pas beaucoup avancée, dit Gérard. L'éditeur s'impatiente. Mais tant pis. Je songe à mon essai philosophique sur le Mal.

— Vous n'avez pas abandonné cette idée ?

— Et pourquoi donc ? Ce sera un bouquin essentiel pour moi comme pour les autres ! Une fameuse paire de lunettes sur l'univers ! Le message des Ecritures est confus et vieillot. Deux vers de Vigny résument exactement la situation :

Quand les dieux veulent bien s'abattre sur les mondes,
Ils n'y doivent laisser que des traces profondes.

«Où sont les traces profondes, les sillons creusés à notre intention où nous pouvons nous engager sans craindre le cul-de-sac ou l'embûche ? En tout lieu, en toute circonstance, je me retrouve seul. Pour tout dire, je n'ai que moi-même à prier. Dure école ! Mais j'y ai gagné une lucidité aguerrie dont je suis fier, et dont je voudrais faire profiter les autres. Ah ! l'admirable cri de Nietzche : « l'homme est quelque chose qui doit être surmonté. » L'*Uber-Ich !* Excellent exergue pour mon essai ! Qu'en pensez-vous ?

— Je ne suis pas d'accord. On n'est jamais oublié, jamais libre !

— Janséniste ?

L'ARAIGNE

— Ne croyez pas, Fonsèque, que je me targue d'un fatalisme sommaire : «Tout est prévu d'avance. Nous ne pouvons dévier d'une ligne le geste que nous accomplissons.» Ce serait la prime accordée à toutes les lâchetés. Ma conviction est autre. Comment vous la faire comprendre ? Avez-vous déjà joué au tennis, assisté à un tournoi de tennis ? Je m'excuse d'employer cette comparaison sportive. Supposez une partie de double. L'un des joueurs de l'équipe adverse renvoie la balle. Elle arrive. Et, avant qu'elle ait touché le sol, vous devinez à sa direction si elle vous est destinée, ou s'il vaut mieux la laisser reprendre par votre partenaire. C'est une question de coup d'œil, d'entraînement. Il en est de même dans la vie. Devant quelque dilemme que je sois placé, une intuition mystérieuse me renseigne. Je sais immédiatement si c'est à moi d'agir, ou s'il faut abandonner ce soin à celui qui me seconde. Car il est là, derrière moi, ce partenaire invisible, attentif et puissant. Et, si je lui vole sa riposte, je risque de perdre le point. Vous souriez, Fonsèque, vous jugez ma théorie puérile...

— Nullement. Mais si vous vous refusez à intervenir dans votre propre vie, vous devez, *a fortiori*, renoncer à tout droit de regard sur la vie d'autrui ?

— Certes.

— Apprenant que votre meilleur ami va prendre une décision regrettable, vous ne devez pas vous reconnaître la faculté de l'en empêcher ?

— Non.

— Absurde ! absurde ! s'écria Fonsèque. Un aveugle, on l'aide à traverser les rues ! Pourquoi n'aiderait-on pas celui que la passion frappe d'une cécité aussi totale que l'autre ?

— Parce que vous ne savez pas qui de vous deux a perdu la vue.

— Allons donc ! J'ai trop réfléchi, trop travaillé, pour ne pas discerner pour chacun la route à suivre, le danger à éviter, le bonheur à cueillir.

— Alors, pourquoi ne le discernez-vous pas pour vous-même ?

— Je suis heureux.

— Mais non, Fonsèque, vous n'êtes pas heureux.

Lequesne secouait doucement la tête. L'éclairage brouillé de la pièce lui faisait un plat visage de masque aux yeux troués d'ombre, aux cheveux de nuit. Il tenait ses mains croisées sur sa poitrine.

— J'examinerai cela dans mon essai, dit Gérard. Et d'abord, votre état d'esprit rejoint celui de tous les mystiques patentés. «Chose aucune ne me tient que de laisser faire Dieu,» écrivait déjà sainte Chantal.

Lequesne ne répondit pas, haussa les épaules. Gérard le considérait avec étonnement :

— Cette discussion vous ennuie ?

— Non. Simplement, je vous admire de pouvoir parler «idées» un jour comme celui-ci.

— Peut-être est-ce justement pour ne pas parler d'autre chose !

Il regretta aussitôt cette phrase. Mais Lequesne ne semblait pas avoir compris. Il regardait ses mains. Et Gérard l'entendait qui soufflait, comme s'il eût tordu un objet entre ses longs doigts maigres. Que signifiait cette attitude désolée ? Gérard avait toujours soupçonné le jeune homme d'éprouver un faible pour Luce. Mais comment supposer qu'il en fût amoureux au point de souffrir du mariage ? Se pouvait-il qu'il se fût aussi totalement trompé sur son compte ? Ce silence. Cette respiration pressée. Ces épaules vaincues. Il ne doutait plus maintenant. Et une joie mauvaise le gagnait, parce que sa détresse était enfin partagée. Aucune pitié. (Est-ce qu'on avait eu pitié de lui ?) Mais l'envie d'attaquer ce blessé silencieux pour se repaître de ses cris, pour oublier sa propre infortune au spectacle de celle qu'il commandait.

— Vous avez raison, dit-il. Les conversations philosophiques ne sont pas de mise un jour de mariage. « Hélas ! cette pauvreté de l'âme à deux ! Hélas ! ce misérable contentement à deux ! » Parlons de Luce. Que pensez-vous d'elle ?

Lequesne tressaillit :

— Mais... je l'ai assez peu connue...

— Oui. Et je le déplore. C'était une fille adorable, toute légère, ouverte, enfantine. Elle est venue dans ma chambre avant de partir pour l'église. Sa robe blanche l'avantageait encore...

Tout en parlant, Gérard observait Lequesne. Plus sa voix se faisait douce, mieux il se rendait compte du supplice qu'elle infligeait. Et c'était un rare plaisir que de voir ce garçon livré à ses coups, incapable de se défendre et appliqué seulement à dominer son émoi.

— Dommage qu'elle soit tombée entre les pattes de ce lourdaud. Elle méritait mieux. Elle n'a pas su attendre.

Il s'était tant de fois tenu ces propos à lui-même, qu'il lui paraissait étrange de les répéter à un autre. Il poursuivait cependant, avec une méchanceté calculée :

— Où est-elle maintenant ? Partie pour quelque absurde voyage de noces. Assise dans un compartiment, en face de son mari élégant et grassouillet. Ils se parlent de près dans le fracas des roues. Ils ne pensent pas à nous qui les évoquons...

Lequesne avait sorti une cigarette et l'allumait nerveusement.

— Ayez pitié de ma gorge, dit Gérard.

Le jeune homme éteignit la cigarette dans un cendrier. Puis, il se détourna, s'approcha de la fenêtre aux volets entrebâillés. La pluie tombait, vive et fine. La place des Vosges, déserte, avec ses arbres infirmes, ses façades de pierre rose et ses arcades obscures, semblait un mail de province à l'abandon. Une femme battait son paillasson contre un pilier.

Lequesne revint au pied du lit. Il paraissait exténué. Ses paupières aux longs cils féminins clignaient rapidement. Sa pomme d'Adam montait, descendait sur son cou maigre, comme s'il se fût retenu de pleurer.

— Vous l'aimiez ? demanda tout à coup Fonsèque.

Lequesne marqua un silence.

— Oui, dit-il enfin.

Il avait prononcé ce mot d'un ton calme. Il n'avait pas eu un geste. Il n'avait pas même baissé la tête. Fonsèque, interloqué, laissa passer quelques secondes. Puis, il l'interrogea encore :

— Et vous souffrez ?

— Oui.

— Et vous ne regrettez pas de n'avoir rien tenté pour la retenir ?

— A quoi bon ?

Fonsèque éclata de rire :

— Ce n'était pas le moment ? La balle était destinée au partenaire ?

— Je le crois.

— Mais vous êtes à enfermer, mon pauvre !

Une brusque haine le dressait contre son ami, comme s'il l'eût rendu responsable de cette union. il dit brutalement :

— A présent, il ne vous reste plus qu'à disparaître de sa vie !

— Je n'y ai jamais tenu une bien grande place.

— Qu'en savez-vous ?

Excellente réplique ! Il fallait semer le doute, éveiller le remords.

Lequesne releva le visage. Les sourcils s'étaient rapprochés et la lèvre inférieure tremblait un peu :

— Ne parlons plus de cela, voulez-vous ? dit-il d'une voix faible. Plus jamais... du moins, plus aujourd'hui...

*

Mme Fonsèque ne rentra qu'à sept heures et demie. Lequesne venait de partir. Aussitôt, elle s'inquiéta de faire servir à Gérard du bouillon léger dans une tasse, des biscottes, une compote fraîche. Elle s'assit à côté de lui pour lui raconter la cérémonie. Mais il l'arrêta : il savait tout par Lequesne; il était un peu fatigué; il préférait le silence. Pourquoi ne dînait-elle pas ?

— Je n'ai pas faim. J'ai bien mangé au lunch.

Cette phrase lui parut atroce. Elle était encore vêtue de sa robe de satin bleu moiré, qui la faisait énorme et luisante comme un crustacé vivant. Ses cheveux gris se tortillaient en bouclettes savantes sur ses tempes. Ses lourdes joues pâles pendaient, et les poches de ses yeux étaient finement plissées, telles des ampoules vidées de leur eau. Elle paraissait émue, anxieuse, désœuvrée et reniflait fréquemment.

Gérard évoqua dans un éclair d'autres soirées, passées en famille, à son chevet. (Le moindre rhume était un prétexte à ces réunions.) Ses trois sœurs, sa mère, venaient prendre le café dans sa chambre. Elle s'installaient autour de son lit. Il retrouvait le visage romain, dur et blanc d'Elisabeth, l'aînée, le petit profil inachevé de Marie-Claude, la cadette, le sourire fardé de Luce et ses gestes étirés et ses bâillements moelleux. Après avoir couru toute l'après-midi par la ville, après avoir coudoyé des inconnus, après s'être dépensées en occupations diverses, elles lui arrivaient, dociles, charmantes, alourdies de mystère. Et il les retenait dans le vaisseau fermé de la pièce, à l'abri des regards étrangers, par le seul prodige de son affection. Le port d'attache. Il y avait des plaisanteries hermétiques, des habitudes obscures, qu'il chérissait pour cela seul qu'un intrus n'eût pas manqué de les juger absurdes. Les amis de la famille portaient des sobriquets baroques. Julien Lequesne avait été baptisé «Princesse Juliana», Vigneral «Feuille de vigne». On distribuait des notes à toutes les connaissances :

— Combien donnes-tu à Hurault ?

— Dix-sept sur vingt. Il est en progrès depuis qu'il a rasé sa moustache !

Parfois, Marie-Claude et Luce échangeaient leurs robes; et c'était une joie que de les voir surgir costumées l'une en l'autre. Il se rappela, tout à coup, la première sortie, le premier maquillage de Luce. En rentrant du bal, elle avait voulu se coucher toute fardée. Il revoyait ce petit visage colorié de gamine, aux lèvres de jolie viande crue, aux yeux brillants. Elle regardait droit devant elle, ravie et un peu grise. Elle serait ainsi dans le grand lit qui la recevrait ce soir. Elle ne laverait pas sa face peinte, préparée, parée, pour mieux séduire le pauvre mâle gras et empoté qui s'avancerait du fond de la chambre vers sa ration de plaisir offerte dans l'alcôve comme dans une mangeoire.

Il secoua la tête, ferma les yeux, écœuré. Ce mariage ruinait toutes ses illusions. Il l'avait espéré dans un élan d'intelligence et de grâce. Et voici que l'époux rêvé, magnifique et mystérieux, s'effondrait jusqu'à n'être plus qu'un Paul Aucoc, informe, doux et mou comme une loche de pluie. Quel abîme entre l'alliance qu'il avait souhaitée et le vil marchandage à quoi elle se réduisait aujourd'hui ! Quelle tristesse dans ce troc lamentable des corps et des intérêts ! Quelle humiliation dans ces mines amoureuses autour d'une manœuvre dont l'amour était assurément exclu ! Mais l'habitude, l'ennui, les pitoyables complaisances de la chair cimenteraient lentement le ménage. Ils seraient un couple entre les autres. Un couple respectable. Qui sait, peut-être, certains soirs, se croiraient-ils même heureux ?

Mme Fonsèque posa une main légère sur le front de son fils :

— Tu as moins de fièvre, dit-elle. Luce a tellement regretté ton absence !

Il eut un rire court :

— Allons donc ! Un jour comme celui-ci, je ne devais pas occuper toutes ses pensées !

— Non, bien sûr. Mais je sais que moi-même, lors de mon mariage...

Cette manie des mères de raconter leur propre mariage à l'occasion de celui de leur fille ! Il l'interrompit :

— Où sont Marie-Claude, Elisabeth ?

— Au théâtre, avec leurs garçons d'honneur. A propos, sais-tu qui j'ai vu à la sacristie ? Joseph Tellier.

Elle se reprocha aussitôt ces paroles. Gérard avait rougi d'un coup. Il gronda :

— Qu'est-ce qu'il nous veut encore, celui-là ?

— Mais rien, mon chéri. Ce n'est pas parce qu'Elisabeth lui a refusé sa main qu'il doit s'interdire de nous fréquenter. C'est un garçon très bien. Un ami de la famille. Et puis, il est toujours gérant de notre petit magasin.

— Où tu perds tout ce qui te reste !

— Ce n'est pas sa faute. Entre nous, je regrette même la décision de ta sœur à son égard. Joseph Tellier était un parti honorable pour une jeune fille de vingt-neuf ans et aussi modestement dotée qu'Elisabeth.

— Un bonhomme qui a passé la quarantaine, sans instruction, sans fortune, sans avenir, et boiteux par-dessus le marché ? Tu les sers bien, tes filles !

— Si tu ne l'avais pas chapitrée...

— Je ne l'ai pas chapitrée. Je lui ai ouvert les yeux sur elle-même. Elle a choisi en connaissance de cause. Et je m'en félicite.

Sa voix tremblait, ses prunelles flambaient de fièvre. Il s'essuya la figure avec un linge pendu au pied du lit. Puis, il retomba sur ses oreillers. Mme Fonsèque n'aimait pas tenir tête à son fils. Elle avait peur de lui. Il était si instruit, si volontaire, si sensible. Elle dit :

— Ne parlons plus de cette vieille affaire. Comment te sens-tu ?

Il ne répondit pas. Il soufflait comme après une lutte. L'éclairage verdâtre de la lampe de travail lui faisait un visage pétrifié, moisi, qui effraya la brave dame.

— Tu vas prendre ta température.

— Non... non, laisse-moi.

Elle se leva. Elle sortit pour aller ranger la chambre de Luce. Derrière la cloison qui séparait les deux pièces, Gérard entendait le pas de sa mère, le grincement des tiroirs ouverts et, parfois un soupir de personne pesante qui se baisse pour ramasser un objet. Plus tard, il crut deviner un bruit de sanglots. Pourquoi pleurait-elle ? Cet attendrissement sur une fille qu'elle avait jetée dans les bras, dans le lit d'Aucoc, était grotesque ! Mais la pauvre femme aimait à pleurnicher et à se plaindre. Depuis la mort de son mari, elle vivait dans l'appréhension d'une catastrophe imminente. Ses possibilités d'être malheureuse lui paraissaient quadruplées du fait qu'elle avait quatre enfants : cette peur, trois ans plus tôt, que le Conseil de révision ne reconnût Gérard « bon pour le service » ! Mais on l'avait ajourné pour insuffisance physique. Une chance et une condamnation à la fois.

A dix heures, Mme Fonsèque sortit de la chambre voisine et Gérard entendit son pas massif qui s'éloignait dans le couloir. Il était tout à fait seul à présent.

Seul jusqu'au matin.

Elisabeth et Marie-Claude étaient au théâtre avec leurs garçons d'honneur. Les jeunes gens avaient à leur boutonnière un lambeau du voile de Luce déchiré, insulté. Il chercha leur nom : Hurault, Vigneral... Ce Vigneral, un ancien camarade de lycée, l'exaspérait. Un fort gaillard au cou rouge, aux mâchoires solides. Un esprit de commis-voyageur, son métier même ! Il paraissait toujours échappé d'une alcôve, prêt à courir vers quelque galant rendez-vous, occupé par d'amoureuses campagnes d'encerclement, de rupture, de réconciliation. On ne concevait pas qu'il pût être heureux, ou malheureux, autrement que par une femme. Il traitait Gérard de haut. Il disait : «Parler maîtresses avec toi, c'est comme parler littérature avec moi : une erreur d'aiguillage».

L'imbécile ! Il ne s'agissait pas de condamner le monde périssable des sens, mais de lui assigner une limite. Il ne s'agissait pas d'exclure les appétits inférieurs, mais de les subordonner à une conception idéale du monde. Il ne s'agissait pas de choisir entre la chair et l'esprit, mais d'équilibrer ces deux poussées ennemies. Et que la ligne de flottaison ne fût pas trop basse !

— Je vois mieux qu'eux, mieux qu'elles, ce qu'il leur faut.

Il était fier de savoir dominer en lui les tentations de cet univers matériel ! Seuls importaient la vie intérieure, l'enrichissement égoïste de la lecture, la réflexion, l'étude. Au-dessus de la mêlée. En marge des passions. Ne valait-il pas mieux être hors d'un combat pour en comprendre les phases ? Toute sa force venait de son isolement. Il prévoyait avec une acuité paisible ce que les autres, engagés dans leur pauvre lutte, n'eussent discerné que trop tard. Elisabeth, Tellier ?... Eh bien ! oui : il l'avait sauvée d'une vie étroite, abrutie et laide d'arrière-boutique, de menus comptes, de tracas commerciaux. Il l'avait sauvée contre elle-même, contre tous. Et elle lui en était déjà reconnaissante.

Le sentiment de sa puissance l'envahissait comme une ivresse abondante et tranquille.

Il ferma les yeux. Il essaya de dormir. Mais le sommeil ne venait pas : «Elisabeth et Marie-Claude sont loin... Elles s'amusent...»

A deux heures, il entendit une clef fourrager maladroitement dans la serrure et les voix de ses deux sœurs qui se répondaient dans le vestibule.

Il éteignit la lampe.

II

«L'Italie est le plus beau pays du monde. Paul m'adore. J'adore Paul. Je suis folle de joie. Baisers. Baisers. Baisers. — Luce.»

Mme Fonsèque sourit avec une indulgence radieuse et déposa la carte postale à côté de son assiette.

— Eh bien ! le facteur n'a pas dû s'embêter, dit Gérard. Elle aurait vraiment pu nous envoyer sa prose sous enveloppe !

— Je trouve sa carte très gentille, dit Mme Fonsèque.

— Comment ne comprends-tu pas ?...

— Je comprends que ma fille est heureuse, mon chéri, et cela me suffit.

Gérard porta la serviette devant sa bouche pour étouffer un ricanement :

— Impayable ! Voilà une gamine que son nouvel état

rend simplement idiote et tu n'en conçois aucun regret ?

— Deux jeunes mariés qui s'aiment et qui l'avouent paraissent toujours un peu comiques à leur entourage, dit Marie-Claude d'un air entendu.

— Je te remercie, mon chou, de nous faire profiter de toute l'expérience de tes dix-sept ans. Mais j'estime que même pour de jeunes mariés ils passent la mesure. Je ne reconnais plus Luce. Elle s'est généreusement abrutie à l'exemple de son mari. Je suis sûr qu'au retour de leur voyage de noces elle parlera du nez, comme Paul.

— Gérard !

Il était ravi de sa plaisanterie. Il se caressait la mâchoire de sa longue main faible et soignée. Il lorgnait Elisabeth et Marie-Claude, comme pour quêter leur assentiment. Puis, il se remit à chipoter sa viande, dans l'assiette barbouillée de sauce froide. Il n'avait pas faim. Il n'avait jamais faim. Mais il aimait les repas, parce qu'ils attiraient ses sœurs, sa mère, autour de la vieille table servie. La suspension à bobèches, les bassinoires rutilantes, le bahut Henri II à panneaux sculptés, cette unique fenêtre, transparente jusqu'à mi-hauteur et tapissée au-dessus d'un papier vitrail rouge et bleu à losanges, composaient un décor immuable où le clan s'était regroupé, tant bien que mal, après le départ de Luce. Un couvert, un visage, une voix de moins. Nul ne comblerait le vide laissé par cette fille peinte, à l'indécente chevelure rousse et aux afféteries d'écureuil :

— «J'ai décidé de transformer ma robe de bal et de la garnir d'une ceinture torsadée de crêpe romain blanc et de velours «antifroiss» vert chartreuse, susurrait-elle.

— Une ceinture torsadée t'engoncera la taille, disait Marie-Claude.

— Pas du tout, puisqu'elle sera coupée dans le biais.

— Alors, tu auras l'air d'un poteau frontière !»

Autrefois, ces discussions oiseuses agaçaient Gérard. Mais il regrettait à présent l'exaspération acide qui le prenait à regarder Luce, à l'entendre, cette envie de lui expliquer soigneusement qu'elle était idiote et de s'en excuser tendrement après. En revanche, il lui semblait qu'il dominait mieux la famille réduite. On eût dit que le mariage de Luce avait resserré contre lui sa mère et ses deux sœurs, les avait livrées à lui dans une confiance plus limpide encore. Et il brûlait à chaque instant de contrôler son pouvoir sur elles. Il dit :

— J'ai souvent réfléchi au mimétisme des femmes mariées. N'est-il pas curieux de constater combien rares sont celles qui parviennent à défendre leur personnalité ? «Le bonheur de l'homme est *je veux*, le bonheur de la femme est *il veut,*» disait Nietzsche...

Elisabeth s'était arrêtée de manger. Peut-être comprenait-elle qu'il parlait à son intention. Il eût aimé lui rappeler qu'il l'admirait pour son refus d'épouser Tellier, pour son orgueil de belle fille froide, pour son intelligence. Il importait qu'elle fût heureuse et le reconnût.

Mais elle ne laissait rien paraître de ses sentiments. Renfermée, inexplicable, elle défiait toutes les approches. Il poursuivit, cependant :

— Je me demande, au reste, si les femmes mariées savent mesurer leur déchéance. Du jour au lendemain, la plupart d'entre elles se dépouillent, se neutralisent, s'aplatissent, se coulent suivant l'image exacte de leur mari : «L'Italie est le plus beau pays du monde. Paul m'adore, j'adore Paul. Je suis folle de joie.» Sans commentaires !

— Eh bien ! tu m'ouvres de singuliers horizons sur la mentalité masculine, dit Marie-Claude.

Et elle rougit tout à coup. Gérard éclata de rire :

— Ta conversation est un feu d'artifice, mon trésor !...

— Je ne vois pas ce que j'ai dit de drôle ?

— Laisse ce soin à d'autres !

— Mes enfants, mes enfants ! gémit Mme Fonsèque.

Gérard se tamponnait le visage avec son mouchoir. Ces escarmouches faisaient sa joie. Il les recherchait avec une patience gourmande et s'en délectait ensuite, la tête rejetée, la lippe heureuse, les paupières plissées derrière ses fortes lunettes de «penseur». Marie-Claude avait baissé sa petite face ingrate, couleur de glaise, aux longs yeux verts. Elle cassa un morceau de pain, sans besoin apparent, écarta son assiette.

— Cette après-midi, on a eu un cours sur Charlet à l'Ecole du Louvre, dit-elle pour changer de conversation.

Mais Gérard ne lâchait pas le morceau. Il l'interrompit :

— Connaissez-vous cette belle moquerie de Nietzsche ? «Des chattes, voilà ce que sont toujours les femmes. Des chattes ou des oiseaux. Ou, quand cela va bien, des vaches !» N'est-ce pas admirable ?

Elisabeth passa une main sur son front :

— Je n'ai plus faim. Et puis, j'ai la migraine. Je vais m'étendre un instant.

— Tu ne prends pas de dessert ? demanda Mme Fonsèque, inquiète.

— Non.

— Tu ne veux pas que je t'accompagne ?

— Non.

— Tu reviendras tout à l'heure ?

— Peut-être...

Gérard, dégrisé, regarda sa sœur aînée se lever, maigre, droite, dans sa robe de lainage marron, et gagner la porte d'un pas un peu long de jeune homme.

Elle poussa le battant. Elle courut jusqu'à sa chambre. Elle s'assit devant sa table en pitchpin, nette de tout papier, de tout livre. Elle prit sa tête dans ses grandes mains froides et ferma les yeux.

Ces discussions étaient intolérables ! On parlait de Luce, mais c'était d'elle qu'il s'agissait. Si Mme Fonsèque se complaisait dans l'apologie du jeune couple, c'était pour lui reprocher, à elle, de n'avoir pas épousé Tellier. Si son frère tonnait contre le mariage, c'était pour la féliciter, elle, d'avoir renoncé à cette union. Les allusions obliques se croisaient autour d'elle. Elle était engluée dans leur réseau comme une mouche dans une toile d'araignée. Mais elle préférait encore la secrète réprobation de sa mère à l'espèce de joie combative que Gérard affichait depuis quelque temps. Il lui savait gré d'avoir suivi ses conseils. Il feignait de la croire heureuse. Il la flattait de la voix, comme une jument docile qui vient de franchir l'obstacle et s'en éloigne soufflante et allégée. Elle ne voulait plus qu'il se mêlât de sa vie intime. Ni lui, ni personne. L'attention dont elle était l'objet suffisait à la mettre hors d'elle. Luce avait choisi, décidé toute seule. Pourquoi ne l'avait-on pas traitée comme sa sœur ?

Elle se souvenait de Gérard, assis au bord du lit, à côté d'elle, et lui parlant avec une gentillesse attardée : «Le seul fait que tu hésites prouve que tu n'aimes pas Tellier. Et, puisque tu ne l'aimes pas, tu n'as pas le droit de l'épouser. Ce serait le trahir, te trahir toi-même. »

S'il s'était indigné, s'il avait donné de la voix, nul doute qu'elle eût agi à sa guise. Mais il semblait si raisonnable, si amical, si grave. Il ne venait pas à l'esprit qu'il pût mentir ou se tromper. Au reste, c'était vrai qu'elle n'aimait pas Joseph Tellier à cette époque. C'était vrai qu'elle s'ennuyait avec lui, que l'idée d'être sa femme lui paraissait bonne ou mauvaise suivant les heures. Il avait fallu cette rupture, cet éloignement imposé, le brusque mariage de Luce, pour qu'elle regrettât son refus. Trois mois à peine. Et, à présent, elle ne pouvait penser à lui sans que son cœur défaillît doucement.

Il était de quinze ans plus âgé qu'elle. Il boitait un peu. Gérard le jugeait laid, sans finesse, sans instruction. On disait même qu'il se faisait de jolis «à côtés» dans ce magasin des Fonsèque dont il assumait la gérance. Mais ces critiques ne tenaient pas devant le souvenir du lourd visage fatigué, usé, tourné vers elle dans la lumière ocre du bar, de cette voix enrouée par la tristesse et qui murmurait : «Je vous comprends, je vous comprends, Elisabeth !» En même temps, ses doigts d'homme aux ongles courts, à la peau fripée, cassaient des *chips* dans une soucoupe. Elle se sentait merveilleusement aimée, désirée à ce moment-là. Elle savait que ses moindres paroles atteignaient ce gibier forcé qui haletait, le front bas, devant elle. Elle avait pitié de lui. Et, cependant, elle poursuivait avec une sérénité implacable :

— «Je vous ai toujours considéré comme un ami. J'ai été surprise, même, de votre démarche»...

Avant de partir, elle lui avait tendu la main. Et il avait baisé cette main dans un plongeon maladroit du buste. Un verre, accroché par le pan du veston, avait roulé sur la table. Le garçon était accouru. C'était elle qui avait dit :

— «Laissez, ce n'est rien.»

Comme il avait dû souffrir ! Comme il souffrait encore ! Elle l'imagina dans le magasin poussiéreux, encombré de cartons, ou dans cette petite chambre qu'il lui avait souvent décrite. Sa pitance froide l'attendait sur la table de la cuisine. La femme de ménage avait glissé un billet sous le verre. La cafetière bégayait sur le réchaud. Une radio ahurie détaillait des refrains d'opérette. Et lui s'asseyait, mangeait, fumait, désœuvré et las. Si seul, si seul !

Elle le plaignait avec une sorte de fureur tendre qui lui embuait les yeux, qui lui grippait la gorge délicieusement. Un besoin forcené montait en elle de le voir, de le consoler, de consentir. Elle aurait pu lui parler au mariage de Luce. Mais il avait fui sur une poignée de mains protocolaire. Sans doute craignait-il de la rencontrer ? Sans doute cherchait-il à l'oublier déjà ? Tout était bien fini. Cette chose qui aurait pu être ne serait pas. Un autre ? Elle n'était pas une Luce pour épouser le premier venu. Elle se replierait sur sa rage, sur sa faim. Elle organiserait sa solitude. Luce ? Où était-elle en ce moment ? Elle habitait avec Paul dans quelque grand hôtel de Venise. La même pièce. Le même lavabo. Le même lit. Une voix d'homme à son oreille. Des mains d'homme à ses reins. Une bouche d'homme sur sa bouche. Un poids d'homme sur son corps ! «Pourquoi elle ? Pourquoi elle et pas moi ? Elle est ma cadette. Elle est idiote. Elle ne peut pas rendre un homme heureux. Tandis que moi, moi !...»

Elle se leva, se jeta sur sa couche, les bras en croix, la face abîmée dans l'oreiller. Son visage brûlait et le sang résonnait dans ses mâchoires serrées. Mais elle ne pleurait pas. La gorge contractée, les yeux secs, elle hoquetait sourdement.

Les doigts noueux de Tellier cassant des rondelles de pommes de terre frites dans la soucoupe, à quoi bon cette image absurde ? Elle ne pouvait la chasser pourtant. Et c'était très agréable, très triste de revoir cette main épaisse, brisant les *chips*, stupidement, pendant qu'elle parlait, détruisant sa chance, préparant leur malheur à tous deux. Une odeur de fumée et de peau lorsqu'il s'était approché d'elle. Une odeur d'homme. Et Luce vivait, couchait dans une odeur analogue. C'était injuste ! Elle voulait sa part de plaisir. Elle la voulait immédiatement. Peu importait qu'elle dût sacrifier sa personnalité, comme l'en menaçait Gérard ! Ce devait être délicieux de s'abrutir dans la joie. Se soumettre, singer, mendier dans un hébétement trouble. Avoir un maître.

Elisabeth, la fière, l'obstinée, la dure Elisabeth, demandait un maître.

Elle s'assit au bord du lit. Et la glace de l'armoire lui renvoya l'image d'une grande fille aux cheveux décoiffés, à la jupe remontée au-dessus des genoux, aux bras pendants, à la face marbrée de plaques pâles. Comme si elle venait de lutter avec un tendre et vigoureux adversaire.

Déjà, elle s'exhortait au calme. Dans trois jours, Tellier viendrait, comme d'habitude, rendre les comptes mensuels du magasin. Elle s'arrangerait pour quitter le bureau avant six heures. Elle rentrerait chez elle en taxi. Elle lui parlerait gentiment. Peut-être comprendrait-il alors qu'elle regrettait sa conduite ? Peut-être lui demanderait-il de la revoir ?

Des pas se rapprochaient dans le corridor. D'un bond, elle fut sur ses pieds. Lorsque Mme Fonsèque ouvrit la porte, la jeune fille était installée devant sa table, le dos droit, la figure impassible. Et un livre était ouvert devant elle.

*

Elisabeth aperçut le chapeau, le manteau de Joseph Tellier pendus dans le vestibule. Il était encore là. Elle allait le voir. Ce soir même, lorsqu'elle passerait devant la glace de l'antichambre, que surplombait une tête de cerf empaillée et borgne, il y aurait «quelque chose de changé». Elle posa ce jalon par une habitude enfantine. Puis, elle s'avança vers la porte et saisit la poignée de bois. Elle se sentait faible au point que son cœur lui faisait mal. Une angoisse fade écrasait toutes ses pensées. Elle poussa le battant.

Aussitôt, elle éprouva le choc espéré, redouté. Il était assis devant sa mère, le dos à l'entrée. Il se retourna. Elle reconnut cette forte figure aux chairs pâles comme de la gomme élastique et aux vifs petits yeux de pie. Sa chevelure noire était coupée très court. Il avait une épaule plus basse que l'autre. Une cigarette en papier maïs fumait à sa lèvre :

— Bonjour, Elisabeth.

Elle lui donna la main. Elle croyait agir en rêve, dans une atmosphère étrange où ses gestes étaient à peine commandés. Elle murmura :

— Je ne vous gêne pas ?

Il secoua la tête. Sa mère aussi secoua la tête. Soudain, elle eut le pressentiment d'une catastrophe imminente. Quelque chose s'était passé qu'elle ignorait, qu'elle allait apprendre, qu'elle avait peur d'apprendre. Déjà, Mme Fonsèque prononçait d'une voix blanche :

— Sais-tu ce que me dit Monsieur Tellier ? On lui propose un emploi très intéressant en province. Alors, il veut céder la gérance du magasin à quelqu'un d'autre...

Elle crut avoir mal entendu :

— Comment ?

— Oui, dit Tellier. J'ai un remplaçant.

Elle demeura un instant perdue de stupeur. Elle respirait difficilement. Elle tremblait de la tête aux pieds. En quelques secondes, tout était remis en question. Il lui échappait au moment précis où elle espérait regagner son amour. Il la fuyait dans le même temps qu'elle acceptait de lui revenir. Car s'il renonçait à la gérance du magasin, s'il quittait Paris, c'était pour l'oublier simplement. Il avait trouvé cela. Il préférait cela.

Tellier discourait d'une voix rauque, posée :

— Un garçon très bien... Un ami de mon cousin Andoche...

Mme Fonsèque l'interrompit :

— Il faut que vous restiez. J'étais tellement habituée à travailler avec vous. Je vous faisais entière confiance. Ces comptes, même, n'étaient qu'un prétexte à visites amicales. Le monsieur dont vous me parlez est sans doute un honnête homme, mais je ne le connais pas. Je vais être obligée de le surveiller, et vous savez bien que j'en suis incapable...

A quoi bon ce marchandage sentimental ? Personne ne ferait revenir Tellier sur sa décision. Il n'y avait qu'à le regarder pour s'en convaincre : cette face crispée par une volonté terrible, ce corps tassé en bloc sur la chaise, ces poings fermés sur les genoux.

Elle s'adossa à la muraille, parce que la tête commençait à lui tourner un peu. Il était là, près d'elle. Elle n'avait qu'à étendre le bras pour le toucher. Et c'était leur dernière entrevue. Elle avait imaginé une réconciliation radieuse. Et voici qu'il lui fallait imaginer autre chose : l'avenir sans lui; les journées grises du bureau; les repas autour de la table où Gérard pontifierait entre deux bouchées (« Avez-vous lu cet aphorisme de Nietzsche ? »); les soirées de famille dans le salon cerné de ténèbres; enfin la solitude insupportable de sa chambre : ce lit étroit, ces placards glacés où ne pendent que ses vêtements à elle, ce lavabo où il n'y a que ses objets de toilette à elle, cette nuit, ce sommeil bien à elle, l'isolement étriqué des vieilles filles !

Mme Fonsèque bavardait toujours sur un ton pleurnichard :

— Peut-être est-ce votre traitement que vous jugez insuffisant ?

— Il ne s'agit pas de cela...

— Dans l'état actuel de l'affaire...

Que ne partait-elle ? Que ne les laissait-elle tous deux en présence ? Il fallait menacer, supplier, gémir, et la petite voix tiède s'acharnait à délayer les mêmes arguments :

— Ce n'est pas une place d'avenir, bien sûr, mais j'espérais...

Il haussa les épaules, regarda sa montre. C'était la fin. Se fût-elle trouvée seule avec lui qu'elle n'eût rien su lui dire d'autre. Il valait presque mieux que sa mère donnât la réplique.

Ses tempes étaient vides et douloureuses. La lumière fatiguait ses yeux. Elle ne prenait conscience d'elle-même que par le froid pur et plat de la muraille contre son dos. Un seul souhait : qu'il s'en aille. Alors elle pourra se détendre. Alors elle pourra réfléchir. Qu'attend-il pour filer ? S'il reste encore, elle crie, elle s'enfuit, elle tombe ! Mais ne sont-ce pas les dernières minutes qu'il passe auprès d'elle ? Elle doit désirer qu'il demeure le plus longtemps possible dans le salon. Non, qu'il s'en aille, qu'il s'en aille !

Lorsqu'il se leva pour prendre congé, elle se détacha, lente et raide, de la cloison. Mais, par un immense effort de volonté, elle conservait à son visage une expression d'intérêt moyen, de réserve honnête.

— Revenez nous voir avant votre départ, disait Mme Fonsèque. Ne serait-ce que pour me présenter votre successeur. Raccompagne Monsieur Tellier, Elisabeth.

Dans l'antichambre, il décrocha son manteau, son chapeau sans la regarder. Le dernier geste de lui qu'elle verrait sans doute. Celui qu'elle évoquerait dans ses nuits vides. Elle se rappela tout à coup la glace qu'elle s'était promis de contempler en sortant de la pièce : «Quelque chose aura changé...»

Ce fut comme une secousse électrique. Elle fit un pas vers lui. Elle murmura d'une voix détimbrée :

— C'est à cause de moi que vous partez ?

Etait-ce bien elle qui avait parlé ? Il avait posé la main sur la poignée de la porte. Il se retourna. Dans l'ombre, elle vit sa figure torturée, aux yeux rétrécis, mouillés, à la bouche ouverte.

— Oui, dit-il.

— Vous ne ferez pas ça.

— Pourquoi ?

— Parce que je ne le veux pas.

Il était si près d'elle maintenant, qu'elle sentait son haleine, l'odeur de ses vêtements.

— Qu'aurez-vous de plus si je demeure ?

— Votre présence.

— Vous ne me voyez plus jamais !

— Je voudrais vous revoir.

Elle avait cru qu'elle éprouverait une honte insurmontable à prononcer ces paroles, et c'était presque agréable de les dire. Elle chuchota encore :

— Je vous reverrai, n'est-ce pas ?

Il jeta le pardessus, le chapeau sur une chaise. Il passa une main tremblante contre son front. Dans un sursaut lui revenait la pensée de cette petite vendeuse du magasin — noire, maigrichonne, vicieuse — dont il avait fait sa maîtresse, après qu'Elisabeth l'eût éconduit. Marcelle Audipiat. Rompre avec elle. La renvoyer de la boutique au besoin. Il soupira :

— Pourquoi me dites-vous ça maintenant ?

— Est-il trop tard ?

— Non, mais...

— Soyez demain, à six heures, à la sortie de mon bureau. A présent, partez.

Il avait saisi les mains d'Elisabeth et il la regardait avec des yeux affolés, joyeux, qui la touchaient à une profondeur étonnante. Puis, il baisa ses longs doigts nerveux, son poignet sec. Elle marmonnait d'une voix fausse :

— Partez... partez...

Elle était à bout de forces.

Lorsque la porte retomba sur lui, elle crut qu'on la frappait à la tête.

III

Gérard déchira la page et la jeta en boule dans le panier. La traduction venait mal. Il méprisait ce tatillonnage de seconde main sur des romans infâmes. Mais il y trouvait une excuse pour refuser les emplois qui l'eussent éloigné de la maison. A l'abri de ce prétexte, il se préparait à l'œuvre immense et incertaine qui, sans doute, mûrissait en lui.

Il se renversa sur le dossier de la chaise. Bien qu'il fît encore clair dans la rue, il avait fermé les volets, allumé la lampe. Il se sentait plus exactement retranché du monde, lorsqu'il ne voyait pas la lumière du jour. Les objets qui l'entouraient avaient gagné pour lui la valeur amicale d'êtres vivants : ce crâne de plâtre, dont il avait jadis barbouillé d'encre les orbites calmes, ces livres serrés aux tailles inégales, ces papiers épars sur la table. La pièce était prise dans le silence comme dans une gelée. Aucun bruit ne venait de l'appartement. Mme Fonsèque était en visite, Elisabeth au bureau, Marie-Claude aux cours du Louvre. Mais il savait les heures de leur retour.

Il se leva, sortit dans le corridor glacé.

C'était dans ce couloir qu'ils s'étaient retrouvés, ses sœurs et lui, quelques jours après le décès de leur père. Elisabeth, gamine de dix ans, avait affirmé qu'on découvrait toujours des taches de sang dans la chambre où un mort avait passé sa dernière nuit. Bien qu'on leur eût interdit de pénétrer dans le cabinet de M. Fonsèque, elle s'y était glissée, accompagnée de Gérard. Les persiennes étaient closes. L'air sentait le vieux placard. Un tableau pendait de travers. Sur le canapé de cuir, Gérard avait cru apercevoir des traînées noirâtres. Il s'était enfui en criant. Plus tard, cette chambre était devenue celle de Marie-Claude et de Luce.

Il poussa la porte. On avait descendu le lit de Luce à la cave. Celui de Marie-Claude était placé entre deux tables de nuit chargées de magazines de cinéma et de cahiers aux reliures entoilées. Aux murs, des photos d'acteurs encadraient les reproductions du *Radeau de la Méduse* et de l'*Enlèvement de Proserpine*. Dans la rainure de la glace, des invitations étaient fixées avec une négligence réfléchie. La table supportait un phonographe (car Marie-Claude prétendait depuis peu travailler ses « langues » au *Linguaphone)*, une statuette nègre, une riche collection de taille-crayons, de toutes les formes et de toutes les couleurs dont elle tirait vanité : «N'est-ce pas que c'est chou ?» disait-elle en les présentant aux amies. Il y avait aussi un petit chien en peluche, à l'oreille déchirée, posé sur la chaise, et qu'il ne fallait pas toucher sous peine qu'elle s'insurgeât à grands cris : «Laisse Mathurin-Jérôme tranquille !» Une vraie chambre de jeune fille, inepte, prétentieuse et charmante à souhait. Elle évoquait irrésistiblement celle qui l'habitait, avec ses passions folles pour « le plus bel homme du monde », ses brusques désirs d'apprendre le yougoslave ou le modelage, ses pauvres petits secrets de gamine consignés soigneusement dans un journal, sa peur gentille de l'avenir, et la certitude qu'elle était tout de même quelqu'un.

La chambre suivante était celle d'Elisabeth. Un papier clair. Des rideaux droits. Le parquet nu. Une ordonnance monocale qui retenait sur le seuil. Gérard s'adossa à l'armoire et ferma un instant les yeux.

Il aimait rendre visite aux chambres de ses sœurs, en leur absence. Il lui semblait qu'il surprenait ainsi leur intimité. Ce décor où elles avaient vécu, cet air qu'elles avaient respiré les lui restituaient sûrement. Que n'eût-il inventé, au reste, pour avancer dans leur connaissance ! Hors de sa présence, elles couraient mille dangers précis dont il les eût protégées. Il se rappelait qu'enfant il craignait de les voir descendre un escalier, traverser une rue. Toujours, il s'imaginait qu'elles étaient distraites et qu'elles allaient faire un faux pas, se tordre la cheville, tomber. Il était demeuré le même. Elisabeth surtout l'inquiétait. Il n'était pas sûr d'elle. Il ne se lassait pas de vérifier son pouvoir sur elle. Hier soir, à table, comme il était question du départ de Joseph Tellier, il avait exagéré les manifestation de sa joie, pour mieux surveiller le comportement de sa sœur aînée. «Ce que tu peux être mauvais !» avait murmuré Marie-Claude. Elisabeth, en revanche, n'avait marqué aucune gêne révélatrice. Dure, silencieuse, intelligente, elle vivait au-delà de la conversation. On eût dit que cet homme n'était rien pour elle. Et peut-être, en effet, se moquait-elle de le savoir malheureux. Mais la perfection même de son attitude déconcertait Gérard. C'était «trop beau». Cela «cachait quelque chose». Voici que l'assaillait à nouveau ce doute lancinant de la veille. Au vrai, il se cherchait des sujets d'angoisse, comme si le calme n'eût pas été son élément.

Il retourna dans sa chambre et s'affala en travers du lit.

Tout à coup, lui revenait le souvenir de ce soir d'été où Vigneral, sous prétexte de lui « ouvrir des horizons » et de le « meubler d'impressions neuves », l'avait entraîné dans une maison du boulevard de la Chapelle. Des filles, soutachées de voiles lâches, dansaient entre elles en balançant des croupes de percherons. L'air fleurait la femme échauffée et la poudre. Vigneral regardait tourner ce troupeau lamentable avec une expression de tentation cynique, d'écœurement ravi. Gérard revoyait aussi la petite pièce mal éclairée et ce visage inconnu penché sur le sien. Les grands yeux étaient fatigués, la peau semblait dure de fard et la lourde bouche ouverte, dont le rouge se craquelait, sentait fort la fumée et la viande. Une voix morne psalmodiait comme une litanie :

— T'énerve pas, chéri... ça va venir... T'as dû faire la bombe, avec une gueugueule comme ça !... On fume ?... Non ?... tu veux partir ?...

Il chassa vite cette image, cette plainte odieuse qui le poursuivaient en mémoire. Non ! L'amour était au-delà de ces singeries. La femme n'était pas ce monstre vautré aux entrailles dociles. L'accouplement n'était pas cette danse élastique, huilée et morne, contre un corps dont tout notre esprit nous sépare. On n'aime pas comme on se nourrit, comme on boit, comme on dort, mais dans une communion qui transfigure les plus sales besoins. Entre deux êtres d'élite, se crée, certainement, une harmonie mystérieuse des appétits animaux et des plus hautes aspirations du cœur. L'instinct est sublimé par une attraction merveilleuse. L'homme et la femme échappent à la domination de leur chair, sans rien sacrifier de leur richesse sensitive. Luce n'avait pas compris cette vérité première. Mais elle s'en repentirait plus tard. (Peut-être même, s'en repent-elle déjà !) « Paul m'adore ! J'adore Paul ! Je suis folle de joie !... » Des mots ! Des mots ! Ah ! si Lequesne avait pu séduire, épouser sa sœur, comme il eût encouragé leur union ! Mais Lequesne était un faible, malgré ses théories d'illuminé. La confiance dans le hasard est une attitude de vaincu. Ne pas oublier de le lui dire. Il prit un calepin et nota la phrase.

Les quatre murs. La fenêtre aux volets entrebâillés. Ivresse de l'isolement. La solitude permet de croire au génie. C'est la présence des étrangers qui nous adapte à leurs pauvres mesures. Mais, dans cette interruption de tout bruit, de tout geste, quelle poussée nous soulève et nous porte à notre véritable niveau ! Ce doit être ça, le bonheur suprême. Cette certitude retrempée. Ce flottement béat de l'attention. Aucun doute. Aucun regret. Aucune espérance. « Dieu joue pour vous, » aurait dit Lequesne. Non, rien de divin dans cette félicité. Une raison terrestre. Une satisfaction fatiguée de travailleur.

Son cœur battait vite. Il était en nage, bien qu'il n'eût pas bougé.

Le mysticisme de Lequesne était un peu myope. Dieu n'était pas mêlé à la vie de chaque jour. Tout au plus, marquait-il les grands points de chute. Mais, entre ces repères, l'homme était libre de tracer sa voie comme il l'entendait.

Il alluma une cigarette. La fumée coulait vers la fenêtre entr'ouverte. Ainsi, toutes nos actions coulent vers un même but. Mais il dépend de nous d'en dévier pour quelques instants le cours. Un souffle, et mille arabesques dérangent le fleuve vaporeux avant qu'il aboutisse à la nuit gloutonne.

Il s'approcha de la croisée, repoussa les contre-vents, aspira ces ténèbres froides, larges.

La place des Vosges avec son jardin d'obscurité végétale, ses petites maisons sagement plantées en rectangle, ses carreaux de douce lumière, semblait enfoncée dans un autre âge.

Il s'interdit de rappeler le souvenir de Théophile Gautier, de Hugo, de Marion Delorme. Les lieux communs littéraires lui répugnaient. Agir. Créer. Couper dans le neuf. Il commencerait demain son essai philosophique sur le Mal. Premier chapitre : « Le Mal et le Bien apparentés à l'agréable et au désagréable. » Un beau coup de boutoir. L'air vif lui glaçait les tempes.

Comme il allait se retirer, deux silhouettes connues surgirent du square et s'avancèrent à pas lents vers les arcades. D'un bond, il se rejeta en arrière.

Elisabeth et Tellier, bras dessus, bras dessous, tels des amoureux de foire ! Elle le revoyait donc ! Elle l'aimait donc encore ! Cette nouvelle vidait Gérard de toutes ses forces. Ses oreilles sifflaient. Son cœur battait lourd, pressé, comme au sommet d'une montée.

Il demeura longtemps accoté à la table, la tête haute, les yeux clignés dans une méchante expression d'affût.

*

Mme Fonsèque entra dans sa chambre, tourna le commutateur et s'arrêta, médusée. Gérard était devant elle, les mains aux poches, la face pâlie, diminuée, le regard dense, et une mèche maigre de cheveux lui pendait sur le front. Il avait quitté la salle à manger dès le dessert, sous prétexte d'achever quelque travail urgent.

— Que fais-tu là ? dit-elle.

— Ferme la porte. J'ai à te parler.

Elle se hâta, pressentant une mauvaise nouvelle. Il avait allumé une cigarette. Elle n'aimait pas le voir fumer, mais elle s'interdit de lui en faire la remarque.

— Sais-tu qu'Elisabeth a revu Tellier ? prononça-t-il d'une voix calme.

Elle eut un soupir de soulagement. Ce n'était que ça !

— Elle vient de me le dire à l'instant. Il paraît même qu'il accepterait de conserver la gérance.

— Je l'aurais juré ! ricana Gérard. Elle a préféré t'annoncer la chose hors de ma présence. C'est lâche, mais habile. Que lui as-tu répondu ?

— Que j'étais très heureuse, parce que le départ de Joseph Tellier m'aurait bien embarrassée.

— Elle a dû insister auprès de lui pour qu'il revienne sur sa décision.

— Probablement.

Une grimace écœurée lui tira la bouche :

— C'est ignoble !

— Pourquoi ?

— Que va-t-il se figurer, maintenant ?

— Que nous tenons à lui.

— Qu'elle tient à lui !

— Et quand cela serait ?

Il tapa du poing sur la table :

— Comment « quand cela serait » ? Mais fort de cette certitude, il va la presser, la poursuivre, lui redemander sa main. Et, gourde comme je la connais, elle serait capable de céder cette fois !...

Mme Fonsèque s'était assise dans son fauteuil. Elle chuchota :

— Ne crie pas. Elle pourrait t'entendre.

— Que fait-elle ?

— Elle est dans sa chambre. Elle dort sans doute.

Il grogna :

— Elle rêve ! Elle rêve et ta bénédiction la réchauffe comme un viatique ! Quelle pitié !

— Je ne vois pas le mal ?...

— Tu ne vois pas ! Tu ne vois jamais !... Pour Luce non plus tu ne voyais pas ! Tu estimes que ta mission est de caser tes trois filles au plus vite dans les bras, dans les lits qui s'ouvrent !...

— Gérard !

Il baissa le ton jusqu'au sifflement :

— Tu les lâches comme du lest, sans te demander où elles tomberont !

Il sentit qu'il passait la mesure, et cependant une folie méchante le poussait à la torturer :

— Tu prépares le malheur de tes enfants avec le

sourire béat d'une bonne commerçante !

— Tais-toi ! Tu ne sais plus ce que tu dis !

Mme Fonsèque, éperdue, proche des larmes, secouait sa grosse tête molle, joignait les mains.

Aussitôt, il se reprocha les paroles qu'il lui avait adressées. Elle ne méritait pas une pareille attaque. Et puis, la manœuvre était maladroite. Il valait mieux la convaincre par la douceur, l'endormir par le raisonnement. Mais comment maîtriser cette colère qui le consumait à la seule idée du mariage ? Comment justifier ce qui, pour lui, prenait la valeur cinglante d'une évidence ?

Il s'assit à côté d'elle, sur une chaise. La chambre était, autour d'eux, attentive, vieillotte, avec ses papiers à fleurs et ses meubles de pauvre acajou. Comme dans son enfance, il respira un parfum d'eau de Cologne et de pommes blettes. Le lit était fait. Il y avait sur l'oreiller une large chemise rose étalée. « Nous allons être obligés de vivre sur un plus petit pied. » Lorsque Mme Fonsèque avait, pour la première fois, prononcé cette phrase, quinze ans plus tôt, il l'avait imaginée faisant des pointes sur un orteil gros comme une dragée. Il sourit à ce souvenir lointain et posa une main sur le bras de sa mère.

— Ecoute, maman.

Elle sursauta. Comme elle avait peur de lui ! C'était agréable et terrible de la dominer ainsi. Il poursuivit d'une voix tendre :

— J'ai longuement réfléchi à la question. Nous n'avons

pas le droit de laisser Elisabeth épouser cet homme...

— Elle est libre de choisir.

— Certes. Mais, en ce moment, elle ne choisirait plus en toute liberté. Le mariage de Luce a mis le feu aux poudres. Elisabeth souffre d'avoir été devancée. Elle craint de rester vieille fille. Elle veut se jeter à la tête du premier venu. Il ne s'agit plus d'amour pour elle, mais d'orgueil. Un orgueil de compétition. Une émulation sportive... Si elle avait aimé Tellier, elle ne lui aurait pas refusé sa main quelques mois plus tôt...

— C'est toi qui l'as conseillée.

— Puisqu'elle s'est rendue à mes conseils, c'est qu'elle les a jugés raisonnables.

Mme Fonsèque essuyait son visage à plein mouchoir. Chaque fois que son fils entreprenait de la convaincre, elle se sentait d'avance commandée. Elle avait l'impression que les phrases du jeune homme étaient des filets lancés sur elle et qui l'immobilisaient un à un. Elle se débattait cependant, avec des sursauts honorables :

— Elle nous en voudra de notre opposition...

— Crois-tu qu'elle ne nous en voudra pas davantage lorsque, la première ivresse tombée, elle demeurera face à face avec un homme qu'elle aura épousé par dépit !

De toute évidence, il avait tort ! Mais elle ne savait pas pourquoi. Et elle ne trouvait rien à lui répondre. Elle chuchotait :

— Tout de même... Tout de même...

Il s'était levé :

— Il faut que tu lui parles...

De nouveau, elle se cabra dans un bel effort inutile :

— Pour rien au monde ! Cette petite est malheureuse : je ne veux pas la contrarier.

Mais déjà la voix de Gérard enchaînait dans un murmure implacable... « Il valait mieux attendre un autre parti... Ne pas gâcher toute une vie dans un mouvement de hâte... La responsabilité en retomberait sur eux... » Et cette formule qu'il chérissait : « Un aveugle, on l'aide à traverser les rues... » Il avait réponse à tout. Elle était retournée, submergée, à bout de clairvoyance. Brusquement, elle se prit à souhaiter qu'il eût raison, parce qu'elle se sentait prête à lui obéir. Et pourquoi n'eût-il pas eu raison ? Il aimait ses sœurs. Il les voulait heureuses.

A quelques centimètres de son visage, elle voyait ce visage exsangue, tendu dans une volonté redoutable, et dont les yeux de maître ne quittaient pas les siens. Mais, parce qu'il l'avait vaincue, elle n'avait plus peur de lui. Elle le devinait épuisé, nerveux. Elle le plaignait vaguement. Il dit :

— Tu pourrais lui parler demain, après le dîner, par exemple...

— Elle ne m'écoutera pas.

— Elle m'a bien écouté, la première fois !

Un timide espoir effleura la bonne dame :

— Alors, pourquoi ne lui parles-tu pas toi-même ?

— Parce qu'elle se méfie de moi. Elle croit que j'ai une dent contre Tellier. Mais toi, tu as toujours été de son bord. Ton intervention portera davantage.

Elle chercha une réplique, n'en trouva pas, et resta un long moment à se frotter les genoux des deux mains. Gérard, le souffle court, la chemise collée aux aisselles, regardait cette tête baissée devant lui dans un mouvement de soumission réfléchie. Une raie fine divisait les vieilles mèches grisâtres. Le front était lisse. Elle ne souffrait plus. Elle ne résistait plus. Il avait gagné la partie :

— Je peux compter sur toi ?

— Que faut-il lui dire ? demanda-t-elle.

IV

Assis devant sa table, Gérard tendait l'oreille au silence bourdonnant de l'immeuble. Mais il ne discernait pas les voix lointaines d'Elisabeth et de sa mère qui discutaient depuis une heure dans le petit salon. Il avait chauffé à blanc la pauvre femme. Elle réciterait mot pour mot le réquisitoire qu'il lui avait soufflé la veille. Mais Elisabeth était de taille à se défendre. On ne pouvait être sûr de rien. Cette anxiété orageuse l'épuisait. Il ramena sur ses jambes les pans de sa vieille robe de chambre prune, et but une gorgée de thé dans la tasse qui était sur le bureau. Ses papiers étalés l'attirèrent. Il feuilleta le début de la traduction, mais, aussitôt, releva la tête.

L'abat-jour vert de la lampe diffusait une clarté sous-marine. La pièce entière participait à son guet nocturne.

Onze heures. Il imagina sa sœur, sa mère s'affrontant, luttant et la victoire était incertaine. Il suffisait qu'il évoquât ces deux visages : l'un flasque, ouvert, implorant, l'autre dur comme un galet, pour que son cœur lui fît mal et que ses doigts se portassent à ses joues suantes. Il haletait de leur effort. Il tremblait de leur lassitude. Il s'acharnait à ce combat dont il était absent.

Soudain, une porte grinça et le pas d'Elisabeth se rapprocha dans le corridor. Il crut qu'elle rentrait chez elle. Mais elle avait déjà dépassé sa chambre. Gérard se leva sur ses jambes gourdes et voulut courir à son lit, se coucher, feindre le sommeil. Trop tard. Le battant volait contre le mur. Elisabeth parut sur le seuil.

Elle tenait haut la tête, comme un reptile dressé. Ses bras pendaient le long de son corps maigre. Ses yeux d'un gris froid et loyal lui portèrent le premier coup.

Gérard avait reculé vers le mur.

— A nous deux, dit-elle d'une voix mate.

Il inclina le front pour signifier qu'il acceptait l'assaut.

— Je viens d'avoir une explication avec maman.

— Ah ?

Mais, immédiatement, il jugea inutile de mentir :

— Je le sais, dit-il.

— C'est toi qui l'as priée de me raisonner. Ne le nie pas. Je croyais t'entendre en l'écoutant. Je reconnaissais ta manière. Je retrouvais ta méchanceté.

— Je ne le nie pas.

— Tu n'as pas eu le courage de venir me parler toi-même.

— As-tu eu le courage d'avouer devant moi que tu revoyais Tellier ? Le jeu s'était engagé en mon absence, il était juste qu'il finît sans moi.

Elle haussa ses épaules un peu larges, secoua la tête :

— Laisse cette escrime verbale pour tes palabres avec Lequesne. Ce que j'ai à te dire tient en peu de mots. Je n'admets pas que tu te mêles de mes affaires. J'estime être assez grande pour choisir la conduite qui me plaît. Ce soir même, à six heures, Tellier m'a refait sa demande. Et j'ai décidé d'accepter. J'épouserai Tellier. Je l'épouserai malgré toi. Et tes insinuations m'éloigneront de toi, sans doute, mais jamais de lui !

— Mes insinuations t'avaient pourtant éloignée de lui, voici quelques mois, si j'ai bonne mémoire ?

— Parce que je ne l'aimais pas.

— Et maintenant ?

— Et maintenant, je l'aime.

— Ça t'est venu comme ça, tout d'un coup ?

— Oui.

— La frénésie des épousailles t'a prise après le mariage de Luce. Tu ne voulais pas être en reste. Il te fallait un homme !

— N'essaie pas de salir des sentiments que tu es incapable d'éprouver !

— Je m'en félicite !

Elisabeth appuya ses mains sur le dossier d'une chaise, et elle se cramponnait à ce bois poli, comme au manche d'une arme.

— Fais bien attention, Gérard, dit-elle sourdement. Je suis venue ici dans un désir de conciliation. Je voulais t'expliquer que ton antipathie pour Tellier était absurde, que même indisposé contre lui tu n'avais pas le droit de détruire égoïstement mon bonheur. Je te demande, pour la dernière fois, de quitter cette attitude de réprobation supérieure. Et j'oublierai tout.

Il sifflotait sur des notes hautes.

— Tu ne veux pas ? reprit-elle.

— Non.

— J'aurai donc tenté ce que je pouvais. Il ne me reste plus qu'à partir.

Elle fit un pas.

— Il ne te reste plus qu'à m'écouter, dit-il.

Il s'était adossé au chambranle de la porte pour lui barrer le passage.

— Tu m'empêcherais de sortir ?

— Avant de m'avoir entendu ? Oui.

Il la regarda. Elle lui donnait l'impression d'être un peu plus grande qu'à l'ordinaire. Ses prunelles brillaient dans l'ombre cave des orbites, et la lampe enflammait le contour de ses cheveux dénoués. Une respiration haletante soulevait sa poitrine sous la robe droite. Il n'avait jamais eu la conscience d'une haine aussi proche. Il dit :

— Tu me détestes, en ce moment, Elisabeth. Et cependant j'agis pour ton bien. Sache que je ne m'oppose pas à ton mariage par principe, comme tu l'imagines. Mais je ne veux pas que tu épouses Tellier.

— Voilà qui m'est parfaitement égal !

— Et je ne veux pas que tu l'épouses, parce qu'il est indigne de toi.

— C'est à moi d'en juger.

— Malheureusement, tu ne peux plus en juger, puisque, paraît-il, tu l'aimes. Alors, je t'ouvre les yeux. Et tu seras bien forcée de reconnaître que j'ai raison.

— Laisse-moi partir, Gérard.

— Tu as peur que je ne te prive de tes illusions ?

— J'ai peur que tu ne prononces des mots dont plus tard tu te repentirais !

— Ta sollicitude me flatte, mais ne me convainc pas. Ecoute-moi bien, Elisabeth. Lorsque je pense à votre mariage, je vois d'un côté une jeune fille belle, intelligente, cultivée, promise à toutes sortes de satisfactions supérieures, et de l'autre...

— Assez, Gérard !

Elle avait crié cela d'une voix étranglée. Pris dans la lumière de la lampe, son visage était livide, effrayé, effrayant. Allons ! le coup avait porté juste. Avec une joie frémissante, Gérard insistait, détachant les paroles, surveillant cruellement le ton :

— ...et de l'autre un Joseph Tellier : le gérant de notre

magasin. Un boutiquier sans instruction, sans fortune, sans avenir, sans savoir-vivre...

A chaque phrase, il la devinait horriblement touchée. Elle s'était avancée vers lui. Il voyait de tout près ce front blanc, où une veine verticale s'était gonflée, ces yeux étincelants de colère, ces lèvres minces, mauves, serrées en ligne, et dont les commissures tremblaient nerveusement.

— Tu es immonde, dit-elle.

— Dans ton entraînement, tu n'as réfléchi qu'à l'avenir immédiat. Mais songe à l'avenir lointain qui vous attend. Toute la vie avec Tellier. Les repas, les soirées, avec Tellier. Les caresses de Tellier. Tellier au réveil, les cheveux en broussaille, la bouche mauvaise. Tellier en caleçon !...

— Tais-toi, Gérard !

— ...Tellier te racontant ses petites crasses commerciales, à table; et venant t'embrasser entre deux bouchées, les lèvres graisseuses et avec des miettes sur le devant de son pantalon !

Elle s'élança vers la porte. Il la saisit aux poignets. Il cria :

— Et, avant de se coucher, Tellier retirant sa chaussure à double-fond de boiteux ! Et dans le lit...

Elle s'était dégagée. Et, brusquement, elle le gifla.

Il ne bougeait plus. Il éprouvait un vertige écœuré d'évanouissement. Il regardait devant lui ce visage méconnaissable, éclairé, embelli par la haine.

Il lui sembla qu'une lumière était sur ces lèvres muettes. Il crut que ses genoux allaient plier sous lui. Cependant, il eut la force de murmurer :

— Tu as tout de même eu ton paquet, ma fille !

V

La bonne précéda Vigneral dans le couloir :

— Monsieur Gérard ne va pas tarder. Si vous voulez l'attendre un instant... Je vais prévenir Mademoiselle Marie-Claude.

Elle poussa une porte et s'effaça devant ce grand gaillard, carré d'épaules, mince de hanches, à la fine tête d'oiseau coiffée de cheveux blonds en désordre. L'imperméable trempé bâillait sur un complet-sport avachi aux genoux. La cravate déviée pendait hors du gilet.

Vigneral entra dans la chambre de Gérard et ferma le battant derrière lui. Il n'aimait pas cette pièce obscure, surchauffée, qui sentait le jeune homme casanier et la paperasse. Trop de livres aux murs. Trop de feuillets sur la table. Il posa son manteau sur le lit, s'approcha des rayons de la bibliothèque : *l'Ethique* de Spinoza, *Par delà le Bien et le Mal*... Il ne pouvait s'habituer à l'idée qu'un de ses bons amis fût ce garçon maigrichon, verdâtre, lunetté, qui avait tout lu, qui n'avait rien vu, et qui était fier de sa science et de son ignorance à la fois. Tout en lui l'irritait. Il détestait sa façon de s'habiller trop chaudement, d'essuyer sa main sur son pantalon avant de vous la tendre, de fumer des cigarettes d'une écœurante douceur. Et ses mines lorsqu'il discourait ! (Cette manie de rejeter la tête en arrière, en pinçant les narines et en plissant les yeux : « Ton air de roseau pensant », disait Marie-Claude.) Et son abus humiliant des citations : « Si tu avais lu Nietzsche, tu saurais... Suivant la belle définition du mysticisme par Bergson... » Le seul aspect de son camarade lui donnait envie de parler haut, de raconter des gaudrioles, et de remuer bras et jambes hors besoin. Peut-être était-ce pour cela même qu'il aimait lui rendre visite.

C'était en sixième qu'ils avaient fait connaissance, au cours d'une classe de gymnastique. Gérard était « nouveau ». Il regardait avec effroi les murs de la salle, hérissés d'appareils de torture rationnels, et les élèves en manches de chemise, qui se dandinaient sur place et crachaient dans leurs mains avant d'aborder les barres parallèles ou le trapèze. Un coup de sifflet : « Fonsèque. » Il saute, mais ne peut atteindre les anneaux de fer et retombe sur le paillasson. Un éclat de rire accueille sa chute : « Fonsèque, cul sec ! » chuchotent les anciens.

« Vous avez la grâce d'un éléphant sur une corde raide ! plaisante finement le professeur. Recommencez. Hop ! La sirène ! Mais cambrez-moi ces reins ! Rentrez-moi ce derrière !... » Accroché par les pieds et par les mains, la face écarlate, la bouche ouverte, Gérard observe ses camarades qui rigolent en se claquant les cuisses. Le professeur tapote avec une règle les fesses tendues du garçon : « Allons... allons... » Enfin, suprême injure : « Vigneral, venez lui montrer comment on fait une sirène correcte. Vous vous occuperez de lui jusqu'à ce qu'il puisse entrer au peloton. »

De ce jour, datait leur amitié. Plus tard, ils avaient échangé des projets, des confidences. Vigneral se rappelait leurs conversations « de grands » pendant l'étude. Fonsèque affichait à cette époque-là une compétence hautaine et nébuleuse des questions sexuelles. Il racontait à voix basse des histoires de femmes, compliquées en diable, et dont il était invariablement le héros. Ce n'étaient que mystérieuses étrangères, de passage à Paris, amies de sa mère, et qui l'avaient attiré chez elles, la veille, pour le griser et abuser goulûment de lui, de sorte qu'il n'avait pas eu le temps d'étudier sa composition géographique; ou pâles demoiselles de compagnies, aperçues derrière une vitre d'hôtel particulier, et à qui il écrivait des vers en cachette; mais il songeait à les réunir en volume parce qu'il y en avait quelques-uns de très réussis. (« D'une inspiration un peu spéciale. Tu comprends ce que je veux dire ? ») Vigneral revoyait ce visage jaune, soulevé de boutons, aux yeux brillants de fièvre, aux lèvres sèches et dont il fuyait l'haleine en détournant la tête. Bientôt, Fonsèque avait changé de tactique. Dès la classe de philosophie, il avait proclamé un désintéressement total vis-à-vis de « ces pauvres questions de glandes ». (« Je reconnais qu'il faut parfois sacrifier à sa faim, mais il importe que cette faim ne dégénère pas en gourmandise. ») C'était après le dernier bachot que Vigneral l'avait entraîné dans une maison close. Fonsèque était redescendu suant, blafard, ratatiné sur son dégoût. Et, dans la rue, ils avaient parlé de maladies.

Vigneral alluma une cigarette et s'approcha de la fenêtre brouillée de pluie. Comment ne pas haïr un métier qui vous obligeait à courir les bureaux par un temps pareil ? Et pour quel résultat, mon Dieu ! Six boîtes de papier carbone vendues à grand'peine. Il aurait tout juste de quoi se payer un taxi pour rentrer, le soir, de chez son amie. A moins qu'il ne restât coucher avec elle jusqu'au premier métro. Mais il n'acceptait pas la perspective d'une nuit entière aux côtés de Tina. Cette grande fille brune, frétillante et d'une stupidité transcendantale l'assommait. Sous prétexte qu'elle était barmaid au « Toc-Toc Bar », cette Parigote disait « O.K. chéri », à toute occasion, avec un accent de canardeau. Et aussi : « Ne te sers pas de la serviette de gauche pour la figure, darling adoré ! » Une garce.

L'ARAIGNE

Il regarda sa montre : six heures. Il était venu voir Fonsèque, sa journée de représentant finie, mais il n'avait rien à lui dire. Quand donc, au fait, avait-il eu quelque chose à lui dire ? « S'il n'est pas là dans un quart d'heure, je file. »

A peine avait-il formulé cette décision, qu'il entendit un pas vif dans le corridor. La porte s'ouvrit. Marie-Claude entra, rieuse, gênée, vêtue simplement d'un pull-over gris à manches longues et d'une jupe de lainage bleu. Elle lui sembla plus maquillée que d'habitude.

— Ah ! s'exclama Vigneral, vous arrivez à point. J'étouffais d'ennui dans cette couveuse littéraire.

— Gérard est chez son éditeur. Il ne va pas tarder. Asseyez-vous, je vous en prie.

Il resta debout. Il la détaillait, sans mot dire, avec un calme paysan. Certes, il n'aimait pas son visage falot, encadré de cheveux morts. Mais les yeux retenaient bientôt l'attention. Des yeux très grands, aux prunelles pures, vertes, végétales. Tout à coup, il tendit la main :

— Qu'est-ce que c'est que ça ?

Il désignait du doigt les écussons émaillés — quatre ou cinq — qui garnissaient le corsage de Marie-Claude.

— Ce sont des insignes. Des insignes de voyages, de sports d'hiver...

— Vous avez fait des voyages ? Vous avez été aux sports d'hiver ?

— Non.

— Alors, pourquoi portez-vous ces insignes ? C'est ridicule sans être original...

Elle rougit et le jugea stupide l'espace d'un instant. Mais, déjà, il balançait la tête et se passait la main sur le front :

— Qu'importe ! Même avec vos insignes, je vous remercie d'être venue. D'autant que je vous ai dérangée, peut-être. Vous travailliez ?

— Je recopiais mes cours de l'Ecole du Louvre.

— Ah ! L'Ecole du Louvre ! Quelle merveilleuse salle d'attente ! Quel purgatoire pour jeunes filles sages ! Il faut bien meubler sa vie, tuer le temps...

Elle crut utile de se rebiffer :

— Vous vous trompez : je ne vais pas aux cours du Louvres pour tuer le temps, mais parce que je m'intéresse à l'Histoire de l'Art et que...

Il souriait avec une sérénité robuste :

— Prétexte, dit-il.

Elle devinait qu'il avait raison et qu'elle avait été absurde de protester. Elle dit encore, cependant :

— Vous ne pouvez pas savoir...

— Mais si, ma petite Marie-Claude, mais si...

Il lui avait toujours paru très agréable d'entendre Vigneral l'appeler « ma petite Marie-Claude ». La franche assurance de ce garçon donnait envie d'avoir tort, d'obéir et d'être protégée. Un désir de faiblesse, de soumission, de dévouement domestique. Elle songea brusquement qu'elle eût aimé lui offrir une boîte de cigarettes ou une cravate, et qu'il la grondât gentiment pour ce cadeau. Aussitôt, elle se jugea folle et une bouffée de chaleur lui monta aux tempes.

— Le jour où vous vous marierez, reprit Vigneral, vous conviendrez avec moi que vos occupations actuelles étaient simplement destinées à vous faire prendre patience. Les illustrés sur la table du dentiste. Le documentaire avant le grand film. A propos ! le mariage d'Elisabeth...

Elle se raccrocha joyeusement à ce sujet qu'il lui jetait en pâture :

— C'est toute une histoire ! L'existence à la maison est devenue intenable. Elisabeth et Tellier ne veulent pas entendre parler d'un mariage religieux. Maman en est malade ! Elle se croit déshonorée ! Elle invoque la mémoire de papa, d'oncle Charles !...

— Et Gérard ?

— Gérard se désintéresse de la question. Il s'est disputé avec Elisabeth pour des raisons que j'ignore, et, depuis, ils affectent de ne plus se parler. Ils ne se disent pas bonjour le matin. Lorsque maman invite Tellier à dîner, Gérard s'arrange pour passer la soirée avec Lequesne. Tout comme ça !... Et je suis seule parmi ces gens désolés, offensés, énervés, à chercher comment me tenir !

Elle avait un petit air désenchanté qui lui seyait à merveille. Elle ne savait que faire de ses mains un peu rouges, aux poignets osseux de gosse, et les laissait traîner, entr'ouvertes, au creux de sa robe. Quand elle remarqua qu'il les examinait, elle les ramena lentement derrière son dos.

Vigneral goûtait en fine gueule la sensation de dépaysement que lui procurait cette visite. La nuit dernière, il était vautré dans un lit, contre une femme nue, vulgaire, exigeante. Il lui embrassait la bouche à en perdre le souffle. Il la respirait à fond de narines. Il la pétrissait à pleines paumes. Et voici que, sans autre transition qu'une journée de travail, il se trouvait en face de cette petite jeune fille, bien élevée, « sosotte » et vaguement amoureuse de lui. Sans doute Marie-Claude pensait-elle à lui avant de se coucher. Sans doute tressaillait-elle lorsqu'on parlait de lui en sa présence. Sans doute gardait-elle dans un portefeuille secret quelque vieille photo où Gérard et lui étaient figurés, côte à côte, dans la cour du lycée. Peut-être même tenait-elle un journal ! Il l'interrompit subitement :

— Que d'événements à consigner dans votre journal !

Elle eut un haut-le-corps :

— D'où savez-vous que j'en ai un ?

Il jubilait, la tête un peu baissée pour qu'elle ne le vît pas sourire :

— Gérard me l'a dit.

— Je ne le lui ai jamais montré.

— Non, mais il l'a trouvé un jour, dans votre chambre.

— Et il l'a lu ?

— Oui.

Elle était abasourdie, affolée. Elle souffla :

— Oh !... c'est dégoûtant !

— Vous êtes fâchée ? Vous y notiez donc tellement de réflexions honteuses ?

(De toute évidence, il y avait des pages et des pages de lyrisme exalté sur son compte. Que n'eût-il donné pour les lire !)

— Ça ne vous regarde pas !

Il remarqua soudain qu'elle avait les larmes aux yeux. Son menton tremblait. Deux ou trois mots encore, et ce serait la petite crise nerveuse, avec la porte claquée et la fuite éperdue vers la chambre, vers le lit, la face terrée dans le traversin. Vite, il la rassura :

— Allons ! je plaisante... Je vous fais marcher... Gérard ne m'a jamais parlé de votre journal...

— Et qui donc vous en a parlé ?

— Personne.

— Vous avez deviné ?

— Oui.

L'alerte avait été chaude. Elle le regardait, les paupières humides, les lèvres écartées, jolie à croquer tout à coup.

— Vous êtes un sale type ! dit-elle.

Il s'était levé. Il éclata de rire. Et elle se mit à rire aussi, à brèves quintes étouffées qui lui secouaient les épaules.

A ce moment, la porte s'ouvrit derrière eux et Gérard entra dans la chambre. Marie-Claude poussa un cri :

— Tu m'as fait peur ! Je ne t'avais pas entendu venir.

Il eut un pâle sourire :

— Je m'en aperçois, dit-il.

VI

Il y avait trop de sandwiches sur la table que cernait un groupe bruyant d'invités. (La veille encore, Mme Fonsèque et la bonne, assises dans la cuisine, s'étaient exténuées à couper le pain de mie, à le beurrer, à le tapisser de jambon, de fromage, à ranger les tartines dans des boîtes de fer-blanc pour la nuit, et Marie-Claude venait en coup de vent grignoter les petites baguettes de croûte qui s'amoncelaient sur le papier gras.) Par contre, il n'y avait pas assez de boisson. Déjà, le champagne manquait. La bonne, affolée, proposait de l'orangeade qu'on avait délayée en coulisse. Le bois des rallonges avait joué, et les dénivellations se remarquaient sous la nappe. A part ces quelques défauts, la réception était certainement réussie. Même Gérard, dont on redoutait un esclandre, se montrait d'une étonnante politesse.

L'ARAIGNE

Mme Fonsèque, retirée dans l'embrasure d'une fenêtre, suivait les phases du lunch, avec ce regard spécial des maîtresses de maison, prompt à déceler la cendre tombée sur la carpette, le verre poisseux déposé sur l'étagère, la tasse brisée qu'on repousse du pied sous le divan, et, cependant, le visage ne cesse de sourire et la main de se tendre pour l'accueil ou pour les adieux.

C'était elle qui avait exigé cette réception très simple à la maison, après le mariage civil. On lui devait bien cette compensation, puisqu'elle avait cédé sur le principe de la cérémonie religieuse. Elle craignait seulement que sa fille ne souffrît du contraste entre une fête aussi intime et celle, grandiose, que les Aucoc avaient organisée pour Luce. Elle était si fière, Elisabeth, si lointaine ! N'avait-elle pas prétendu, quelques jours plus tôt, que le trop riche cadeau des Aucoc était une offense déguisée ? Mme Fonsèque la chercha des yeux par-dessus les épaules. Elle parlait avec Luce et Paul. Très bien. Et Tellier, où était-il ? Avec M. Aucoc père. Parfait. Marie-Claude ? Avec Vigneral. Sans importance. Et Gérard ?

Elle eut beau se tourner à droite, à gauche, elle ne le vit pas.

Elle ne vit pas ce visage las, luisant, caché dans l'ombre de la porte entr'ouverte. Le bruit, la chaleur l'étourdissaient. Il était résigné à tout. Il n'avait plus qu'une envie : retrouver sa chambre, s'enfermer dans sa chambre, tomber comme un oiseau de nuit sous la lumière verte de la lampe, face aux papiers, aux livres, et ne plus bouger, ne plus penser à rien, attendre que s'éloignât cette oppression maladive.

Il avait souffert au-delà de ses forces, durant cette seule journée. Une torture maligne. La salle des fêtes de la mairie, avec ses banquettes rouges, ses lambris dorés et les familles qui s'impatientent — deux ou trois — endimanchées, énervées, bourdonnant, noires, autour de la mariée blanche comme du sucre. L'appel des couples. Un nom grotesque, écorché par l'huissier de service, et toute une rangée de « Messieurs-Dames » se lève et se dirige en file indienne vers la porte du fond. Le sacramentel « à qui le tour » du dentiste. Et plus tard, cette pièce anonyme avec sa table verte, son maire gonflé et chauve, son greffier à face violâtre de viscère en mauvais état. Elisabeth et Tellier, assis devant le bonhomme ceinturé de tricolore. Les parents disposés derrière eux, comme pour les voir passer un examen. Et les sièges sont encore chauds du mariage précédent. Le comique attristant de cette réglementation vétuste autour de la réalité de chair et de sang ! Signatures, paperasses, parlotes, et déjà se prépare le jeu haletant de la nuit !

Après la cérémonie, il a eu le courage de féliciter sa sœur et son beau-frère, lui qui, depuis des semaines, évitait de leur adresser la parole. Avec quelle joie lamentable ils ont accueilli ses compliments ! Ils avaient hâte de lui pardonner toutes les avanies. Ils passaient l'éponge avec une dextérité honteuse. Ils oubliaient. Des amis, des amis à tout prix, pour matelasser la vie du ménage ! Sa mère aussi, avait été ravie de leur réconciliation. Comme s'il y avait eu réconciliation ! Comme s'il se réconcilierait jamais avant d'avoir vaincu !

Il vit le regard de Mme Fonsèque dirigé sur lui. Elle l'avait enfin repéré. Dans un grand effort, il se détacha de la muraille et s'avança vers un groupe d'invités. Il reconnut M. Aucoc père et le jeune Hurault, qui parlaient politique. M. Aucoc, cramoisi, étouffé par le corset qui lui broyait les reins, discourait d'une voix grasse de réunion publique :

— Les radicaux sont, qu'on le veuille ou non, le plomb coulé dans la quille française. La jeunesse les attaque avant d'avoir mesuré leurs difficultés. Plus tard, elle embarquera sous leur pavillon !...

— Jamais ! Nous exigeons un maximum de liberté dans un minimum d'autorité, un minimum de bien-être dans un maximum de sécurité ! récitait Hurault, la bouche pleine.

— Eh bien ! mais nos deux positions ne sont pas inconciliables, disait Aucoc.

Mme Aucoc, minuscule, coiffée de bouclettes blanches, et harnachée comme un poney de cirque, s'exclamait devant une vieille dame à face de bucrâne :

— C'est comme moi, ma chère : hier, je descendais de l'auto, lorsqu'un jeune homme, pauvrement vêtu, comme un étudiant, s'approcha de moi et me tendit un petit fascicule : « *La Chanson du taudis.* » Je lui donnai cinq francs. Je pris la chanson. Rentrée chez moi, je voulus la jouer au piano :

Tremblez bourgeois millionnaires,
Dans vos maisons, dans vos châteaux !
Car la colère
Populaire,
Vous montre du doigt l'échafaud !
Ho, Ho !...

«Eh bien ! il est inadmissible que le Gouvernement laisse vendre sur la voie publique...

— Le Gouvernement ? Il y a donc un Gouvernement ? plaisantait rondement M. Aucoc.

Luce et Paul se rapprochèrent. Elle était très belle, vêtue avec une élégance un peu voyante, et ses cheveux roux éveillaient toutes les lumières sur son passage. Gérard trouvait à ses attitudes une mollesse de plante grasse, une douceur abondante et posée de femme, quelque chose de tranquillement bestial, qui donnait envie de gifler. Son mari, rose et dodu tel un porcelet, la suivait, reniflait son sillage, happait ses moindres mots au vol comme une nourriture :

— Paul, mon chéri, si tu nous apportais quelques sandwiches ?

Quelle distance entre elle et Gérard ! Des étrangers. Pis que des étrangers. Car, entre des étrangers la connaissance, l'amitié demeurent possibles. Mais, entre eux, toute chance d'accord était morte. Et l'autre ferait comme celle-ci. Mme Aucoc. Mme Tellier.

Paul revenait déjà, une serviette de sandwiches à la main :

— Le vert de cette salade ne te rappelle rien, chérie ?

— Non.

— Le manteau du donateur dans ce petit tableau que nous avons tellement aimé, à Venise !

— C'est vrai ! Tu es extraordinaire, chéri ! C'était de qui, déjà ?

Gérard pivota sur les talons. Mais ce fut pour se heurter à Tellier et à Elisabeth qui s'écartaient de la table. Tellier, habillé de noir, le faux-col impeccable, mais le visage défait par la chaleur, par la fatigue, par l'émotion, mâchait un petit four.

— Tu as chaud, Joseph, dit Elisabeth.

Il lui sourit.

Gérard surprit ce tutoiement, cette voix douce, ce sourire. Etait-elle aveugle ? Tout le monde était-il aveugle, sauf lui ?

— Elisabeth, je te présente mon cousin Andoche...

Il y eut un piaillement dans le fond de la salle : Marie-Claude venait de laisser tomber son sandwich par terre et riait aux éclats, à côté de Vigneral qui lui tapait dans le dos pour la calmer. Cette exclamation, ce rire crispèrent Gérard.

— Bonjour, Fonsèque.

Il se retourna. Lequesne se tenait devant lui, le visage rasé de près, l'œil éteint, la cravate cérémonieuse.

— Vous ? Je ne croyais pas que vous viendriez, grogna Gérard.

— Pourquoi donc ?

— Pour rien... Une idée à moi...

Et, brusquement, il lui prit le bras :

— Allons boire quelque chose.

En passant, il désigna Luce d'un haussement du menton :

— Elle est rentrée d'Italie, il y a quinze jours.

— Ah oui ?

— Heureuse, paraît-il.

— Elle en a l'air...

— Et complètement abrutie !

— C'est le propre des gens heureux de sembler abrutis à ceux qui les envient.

— Voulez-vous lui dire bonjour ?

— Ce n'est pas la peine... elle parle... elle est occupée...

De nouveau, Gérard devina chez Lequesne cette tristesse résignée qui le confondait :

— J'ai l'impression, Lequesne, que vous ne savez pas préparer votre bonheur, dit-il. Vous n'y pensez pas. Vous attendez qu'il vous tombe tout cuit dans le bec.

Ils étaient arrivés près de la table.

— A quel propos me dites-vous cela ? demanda Lequesne.

— Mais... en général...

— Vraiment ?

Lequesne avait pris un sandwich sur la pile. Il allait le porter à sa bouche. Mais il s'arrêta et le présenta à Gérard :

— Eh bien ! regardez, Fonsèque. Ce sandwich vous paraît succulent. Mais, si vous l'aviez coupé, beurré, garni vous-même, peut-être n'auriez-vous pas envie de le manger ? Il en est de même pour le bonheur. C'est quand on le prépare qu'on a le moins d'appétit pour le goûter. Vous me comprenez ?

— Monsieur Lequesne ? dit une voix musicale.

Il sursauta. Luce venait vers eux.

— Excusez-moi, je ne vous avais pas remarquée, murmura-t-il, avec la sensation de commettre une gaffe de taille.

— Que racontiez-vous sur les sandwiches ?

— Je... rien...

Il était rouge, empoté, devant cette belle fille insolente d'aisance et de grâce.

— Il m'expliquait, dit Gérard, qu'il préférait manger les sandwiches que de les faire.

— Mais tout le monde ! s'exclama Luce.

— Il paraît que non, dit Lequesne.

Luce les regardait sans comprendre.

— Ne fais pas attention, ricana Gérard : c'est de la métaphysique !

Et il s'éloigna, les épaules hautes, les mains aux poches. Mme Fonsèque l'arrêta au passage :

— Comment te sens-tu, mon chéri ?

— Admirablement bien !

Il se glissa dans l'antichambre, obscure, encombrée de manteaux. Il avait besoin de la solitude pour retrouver ses esprits. La bêtise, la laideur, l'odeur de ces gens l'assaillaient comme dans un mauvais rêve. Chacun d'entre eux, pris à part, peut sembler supportable. Mais, dans une cohue, l'animal affleure sous leur face, l'imbécile sous leurs propos. Ils s'éclairent l'un l'autre, ils se repoussent l'un l'autre, ballottés, dirait-on, dans un bain de révélateur. « Le vert de cette salade ne te rappelle rien, chérie ?... Tu as chaud, Joseph... Un maximum de liberté dans un minimum d'autorité... » Gérard, le front lourd, se laissa descendre sur une chaise et s'appuya de la nuque au mur glacé.

A ce moment, il entendit le bruit de la chasse d'eau et Tellier sortit des cabinets. Il vérifiait son pantalon d'un doigt tâtonnant. Leurs regards se croisèrent. Gérard ne devait jamais oublier ce visage ahuri, cette attitude écartelée, maladroite, ce bras pendant. Tellier dit stupidement :

— Vous attendiez ?

— Nullement.

Un silence. L'homme souriait, gêné, excédé d'avoir été surpris :

— Il fait frais, je rentre...

Gérard le suivit dans le salon. Il le regarda, le cœur soulevé, s'approcher d'Elisabeth, lui prendre la main, lui parler de près. Et, tout à coup, ils se dirigèrent à pas lents vers la sortie.

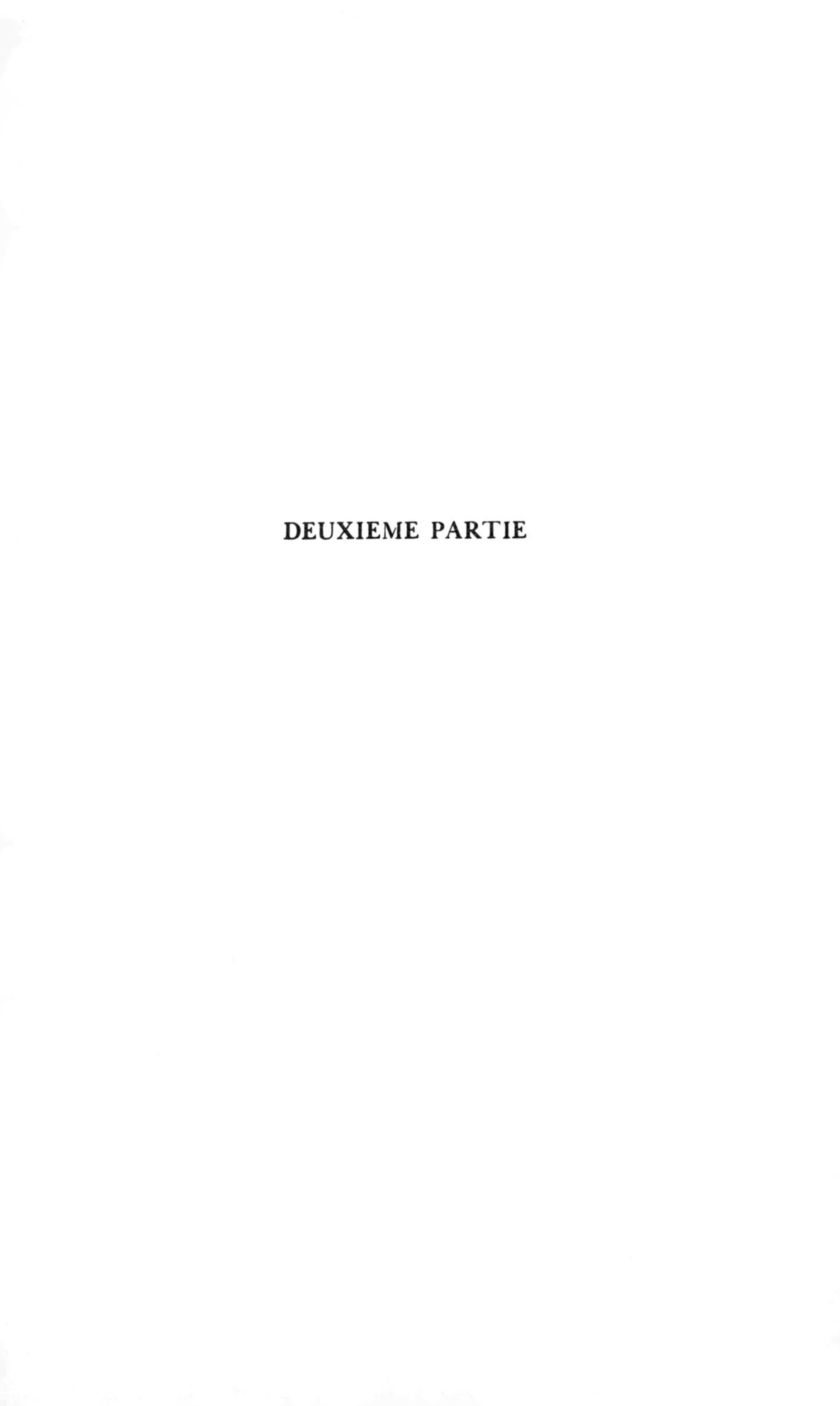

DEUXIEME PARTIE

I

Gérard tira son carnet : « Lequesne. Cour C. Escalier 30, 6e à gauche. »

Des portes obscures, numérotées de 1 à 25, ouvraient sur des courettes bétonnées, marquées A, B, C, D. Et, dans chaque courette, il y avait un tas de sable pour les gosses. Les murs de brique étaient carrelés de fenêtres en forme de judas.

Une de ces croisées était celle de Lequesne. Gérard ne savait plus laquelle. Il n'était venu que deux fois chez son camarade. Et, aujourd'hui même, il ne l'avait pas averti de sa visite. Ça l'avait pris tout à coup : un besoin effréné de lui parler, de le voir. Il ne pouvait plus supporter la solitude nouvelle de la maison. C'était le soir, surtout, que l'absence d'Elisabeth et de Luce lui était sensible. Les chaises vides, la chambre condamnée, la veillée en famille, où le souvenir des deux couples alimente les conversations et obsède l'esprit jusqu'au vertige. « Neuf heures. Où sont-elles ? Que font-elles ? Pensent-elles seulement à moi ? »

L'ascenseur était bloqué au troisième. L'escalier sentait la mangeaille refroidie et l'eau de Javel. Des voix piaillardes et des bruits de vaisselle traversaient les portes de contre-plaqué chocolat. Chaque famille était parquée dans son alvéole, avec ses joies, ses tristesses, ses manies, et une mince couche de ciment la séparait seule des familles de gauche, de droite, d'en dessus, d'en dessous, qui, elles aussi, avaient leurs joies, leurs tristesses, leurs manies, et se moquaient de celles des voisins. Un monceau de vies humaines, découpé en cubes et mis en boîte avec un soin de pion.

Quand il atteignit le palier du sixième étage, Gérard était tellement essoufflé qu'il dut s'accoter à la cage de l'ascenseur.

Chez les Lequesne, une machine à coudre martelait sourdement le silence. Lorsqu'il sonna, la machine à coudre se tut. Il y eut des portes ouvertes, refermées, un trottinement pressé, une voix inconnue qui disait : « J'y vais, » et le battant se décolla du chambranle.

Une tête de femme, crayeuse, maigre, aux yeux inquiets, apparut dans l'entrebâillement. Lequesne ne l'avait jamais présenté à sa mère. Ce devait être elle, sans doute.

— Vous voulez voir Julien ? Attendez une seconde.

Elle appela Julien. De nouveau, des portes ouvertes, refermées, un pas qui se rapproche.

— Le voici.

La femme s'éloigna dans un claquement de savates.

— Bonjour, Fonsèque.

Lequesne l'introduisit dans le vestibule, qui était un couloir tapissé de papier gris et encombré de malles. Dans une encoignure, trônait la machine à coudre délaissée.

— Vous ne m'attendiez pas, dit Gérard, je vous dérange...

— Mais non.

Le jeune homme était vêtu d'un pantalon noir et d'un chandail olive. Il semblait gêné par cette visite. Il souriait pauvrement, lorgnait cette porte, à droite, par où sa mère avait fui. Sur le parquet, traînaient des lambeaux d'étoffe et des fils blancs.

— Vous m'excuserez, reprit-il, nous ne pourrons pas aller dans ma chambre, parce que ma mère en a besoin pour ses travaux de couture. Voulez-vous que nous descendions prendre un verre dans un café que je connais, à deux pas d'ici ? Je passe une veste et je reviens.

Dans le café, il se dégela un peu, parla de ses études de droit, de ses projets :

— On m'a proposé une place de précepteur de français dans une famille anglaise, à Londres. Ma mère me conseille d'accepter. Mais ça couperait ma préparation.

— Au fond, vous êtes très raisonnable sous vos allures de mystique sportif.

— Sportif ?

— Le « tennis divin »...

Lequesne rit doucement, et, quand il riait, ses yeux devenaient concentrés comme une liqueur forte, ses dents de jeune chien brillaient dans sa face mal rasée.

— Vous m'en voulez de ma théorie ?

— Non, dit Gérard. Simplement je la trouve inadmissible. Un brevet de solitude et de faiblesse...

— Je ne vous comprends pas.

— Mais si ! s'exclama Gérard. Avant le règne du christianisme, l'homme avait confiance dans l'homme. Le fort aidait le faible, au sein d'une même tribu. Chacun cultivait sa propre puissance pour le profit de tous. Mais on leur a dit : « Vous êtes seuls. Vos voisins ne sont rien pour vous. Vous ne pouvez rien pour eux. A moins que vous ne passiez par Dieu. » Le plus court chemin d'un cœur à un autre n'a plus été la ligne droite, mais la ligne brisée, avec Dieu au sommet. En morale comme dans l'industrie, il faut écarter les intermédiaires.

— La prière...

— Certes, c'est un remède à la solitude. Le christianisme a créé la maladie et le remède. Comme un médecin marron ! Voici le microbe et voici le médicament. Mais le microbe est en chacun de nous, et le médicament n'est à la portée que de quelques-uns. De là vient tout le drame. Il faut rapprendre à l'homme la fierté, la décision, l'audace. « Aussi longtemps que votre morale était suspendue au-dessus de ma tête, je respirais comme celui qui étouffe, » dit Nietzsche. On a fait de nous des faibles, des inquiets, on nous a condamnés à l'enfance à perpétuité. Nous sommes à jamais accrochés aux jupes du Seigneur. Nous sommes, depuis des siècles, élevés dans le coton chrétien. De l'air, de l'air !... « Là-bas, on dit qu'il est de longs combats sanglants... » Brave Verlaine ! Vous n'êtes pas un « guerrier » au sens nietzschéen, Lequesne...

— Ces guerriers-là ont toujours fait d'admirables vaincus !

— Qu'importe ! Je préfère le vaincu à l'embusqué. J'ai sur moi le début de mon essai. Peut-être vous plairait-il de le lire ?

Lequesne prit les feuillets que lui tendait Gérard et parcourut les premières lignes :

— C'est trop violent, Fonsèque ! Vous ne pouvez pas publier ça !

Fonsèque ricanait et massait l'une contre l'autre ses longues mains chétives :

— Oui, le texte est assez atroce. Mais il le faut. J'ai décidé de porter le grand coup « pour établir en eux, à la sueur de leur front, l'empire de la volonté », comme dit Jouffroy.

— ... de votre volonté ! corrigea Lequesne.

Il s'était remis à lire. Gérard contemplait cette face que

l'éclairage de plafond aiguisait en triangle : « un Greco » eût éclaré Paul Aucoc. (Sous prétexte qu'il avait visité des musées au cours de ses croisières de vacances, cet imbécile assignait à chaque figure une ressemblance avec quelque tableau connu.) Si Luce avait pu voir Lequesne en ce moment, nul doute qu'elle eût admiré ce masque attaqué par l'ombre aux tempes, au menton, aux orbites, ce regard nourri, noir, intelligent qui filtrait entre les longs cils de fille. D'ailleurs, il lui plaisait déjà. Au mariage d'Elisabeth, Gérard avait surpris dans les yeux, dans la voix de sa sœur, une tendresse joueuse dont il devinait bien le secret. Mais, alors qu'un autre eût profité de l'occasion, Lequesne avait battu en retraite. Il eût aimé pourtant que le garçon fît la cour à Luce, la délivrât de son époux, brouillât pour toujours l'absurde ménage Aucoc. Et ce désir lui paraissait une preuve indéniable de sa propre bonne foi. Comment pouvait-on l'accuser d'égoïsme, puisqu'il souhaitait que la jeune femme quittât son mari, non pour retourner vivre à la maison, mais pour se lier avec un garçon digne d'elle ? C'était bien dans son intérêt à elle, qu'il agissait. C'était bien son bonheur à elle qu'il poursuivait. Cependant, il ne savait quel écœurement l'empêchait d'être tout à fait dupe de lui-même.

Il se leva :

— Je vous laisse un instant : j'ai un coup de téléphone à donner.

L'ARAIGNE

La cabine téléphonique se trouvait au fond du bistrot. Gérard tira sur lui la porte vitrée. Le réduit gardait encore le parfum ému d'une femme qui avait téléphoné avant lui. A travers les carreaux, il voyait Lequesne, occupé à lire le manuscrit. Il décrocha le récepteur, composa le numéro, attendit :

— Allô ? Wagram 84-58 ? C'est toi, Luce ? Ici Gérard... Je suis avec Lequesne dans un café... Nous n'avons rien à faire de la soirée... Pouvons-nous passer ?...

Lorsqu'il reposa l'appareil, une méchante grimace de renard lui déformait la bouche. Il importait de mettre Luce et Lequesne en présence, pour évaluer les chances exactes de son ami. Une mesure pour rien. On examinerait plus tard s'il y avait lieu de pousser l'aventure.

Derrière la vitre, à l'autre bout de la salle, Lequesne, ignorant du piège, continuait de tourner les pages du manuscrit. Cette vue procurait à Gérard une joie angoissée de chasseur. Enfermé dans sa cage de verre, il couvait tranquillement sa proie.

Il sortit enfin, s'approcha de la table :

— Lequesne, dit-il, je devais finir la soirée chez Luce. Je lui ai téléphoné que j'étais avec vous. Elle nous invite tous les deux chez elle. Nous y serons dans un quart d'heure, en taxi.

Il se tut. Il l'observa. Quelque chose s'était défait dans la figure du jeune homme. Une expression de stupeur puérile arrondissait les yeux, relâchait les lèvres.

— Je n'irai pas, murmura-t-il.

— Pourquoi ?

— Parce que je ne veux pas revoir votre sœur.

— Vous avez bien accepté de la revoir au mariage d'Elisabeth ?

— Ce n'était pas la même chose.

— Je ne saisis plus !

— Il y avait beaucoup de monde.

Il rit :

— C'est le tête à tête qui vous fait peur ? Rassurez-vous, son mari sera là !

Lequesne baissa le front :

— Ne riez pas, Gérard. Vous n'aviez pas le droit de mendier pour moi cette invitation.

Aussitôt, Gérard protesta de son innocence : Luce, elle-même, avait insisté pour que Lequesne lui rendît visite. Et c'était bien naturel, puisqu'elle avait pour le jeune homme une sympathie dont il était le seul à ne s'être pas encore aperçu. Elle serait déçue s'il ne venait pas. Elle chercherait une raison. Elle en découvrirait une, peut-être. Ce qui était bien dangereux. Tout en parlant, Gérard suivait sur la face de son camarade les signes de la défaite prochaine et de la soumission :

— Vous ferez comme vous voudrez... Mais ce serait maladroit de refuser... Maladroit et dommage !

Lequesne passa un doigt sur sa joue :

— Je ne suis pas rasé.

C'était tout ce qu'il trouvait à dire ! Vigneral ne se fût pas exprimé autrement ! Gérard se rappela cette discussion, chez lui, le jour du mariage de Luce. Lequesne l'avait impressionné, alors, par son visage immatériel et par l'assurance de ses propos. Mais il avait suffi d'une amourette pour le bousculer hors de ce clair-obscur avantageux. Tous les mêmes ! « Allons femmes, découvrez-moi l'enfant dans l'homme ! » demandait Zarathoustra.

— Et puis, il est tard, balbutiait le malheureux.

Mais déjà Fonsèque décrochait son chapeau, son manteau. Et Lequesne, docile, se leva.

*

La bonne les introduisit dans une grande pièce froide, au plafond ébloui de lumière indirecte et aux rideaux tombants, d'un gris de cordage.

— Madame vous prie de l'excuser un instant.

Des meubles modernes, aux surfaces glacées comme des carrosseries, étaient disposés le long des murs. Le parquet était tendu d'un tapis blond tel une feuille de pâte fraîche. Aux cloisons, enduites d'une grumeleuse couleur de sciure de bois, étaient accrochés des tableaux très pâles qui représentaient des rails sous la pluie et des coins de trottoir. Et, au creux d'un coussin jaune cognac, dormait un petit caniche blanc. Ce décor paraissait apprêté pour quelque exposition de grand magasin, figé dans l'attente des mannequins de cire, inhabité, inhabitable, mort.

Les deux jeunes gens n'eurent pas le temps de s'asseoir que la porte s'ouvrait derrière eux. Luce entra, suivie de Paul Aucoc :

— Nous vous avons fait attendre ! Vous nous pardonnez ! Asseyez-vous, je vous en prie.

Elle jouait à la maîtresse de maison, avec un détachement étudié. Elle était visiblement fière de son état de femme mariée, de son appartement, de sa fortune et de ses bonnes manières :

— Quelle excellente idée de nous avoir téléphoné ! Et juste le seul soir de la semaine où nous soyons libres !

— Tu oublies notre souper chez les Prouvelat-Duteille, chérie ?

— Mais c'est à minuit, chéri ! d'ici là...

— Savez-vous que Lequesne admire beaucoup votre installation ? dit Gérard. Il me le confiait lorsque vous êtes entrés.

Lequesne, surpris de ce mensonge, regarda Gérard. Mais l'autre ne souriait pas.

— Vraiment ? s'exclama Luce. C'est Paul qui a fait les dessins.

— Oui, j'ai fait les maquettes, corrigea Paul. J'attache une grande importance aux valeurs et aux volumes. J'ai été désolé de ne pas obtenir exactement les tons que je désirais. Ainsi, j'avais prévu une doublure crevette aux rideaux. Et la maison n'a pu me fournir que du saumon clair !

— Il en a fait une maladie, dit Luce.

Elle voulut à tout prix leur montrer les autres pièces, parce que « ça faisait un ensemble ».

Les trois hommes la suivirent. Elle allait le long du couloir, légère et mince, comme au bord d'une plage :

— Ici le bureau de Paul. Ici notre chambre...

Lorsqu'ils se retrouvèrent dans le salon, Lequesne paraissait épuisé, comme s'il eût cheminé longtemps par des routes difficiles. Et Gérard s'irritait de cette tristesse négative. Une pareille visite aurait dû soulever la jalousie du jeune homme. Ce fumet charnel ! Ce relent de la vie à deux ! Quels excitants nouveaux attendait-il pour agir ? Ne lui suffisait-il pas de voir Luce, collée au flanc grassouillet de son mari, naviguant d'une pièce à l'autre, lui ouvrant un à un les compartiments de sa vie cachée, lui fourrant le nez dans les plaisirs qu'il avait manqués ? Ne devinait-il pas ses chances, en face de cet imbécile dodu et prétentieux ?

La conversation prenait mal :

— N'estimez-vous pas, Monsieur Lequesne, que la vie à Paris est intenable ? Paul et moi, nous sommes à bout de nerfs. Ces trépidations ! Ces tracas ! Ces embarras de voitures ! Ces courses ! Vous sortez beaucoup ?

— Très peu, Madame.

— Comme vous avez de la chance ! Pour nous, la soirée libre est une exception. Et les vacances sont encore loin. Vous partirez pour Noël, bien sûr ?

— Pour Noël, non; mais avant, peut-être. Et... pour plus longtemps... On me propose une place de précepteur de français en Angleterre, dans une famille...

— Allons donc ! s'écria Fonsèque. N'aviez-vous pas l'intention de la refuser, tout à l'heure ?

— Je n'ai jamais été très fixé...

— J'aime l'Angleterre, dit Paul, non pour ses monuments, ni pour ses paysages, mais pour l'exquise qualité de la lumière anglaise. Une visibilité trouble de mousseline. On peut expliquer toute la littérature et toute la peinture britanniques en partant de cette remarque.

— C'est dommage que vous nous quittiez pour si longtemps ! dit Luce. Nous vous aurions demandé de venir passer un week-end aux « Trembles », chez mes beaux-parents. Nous avons décidé d'y inviter quelques amis au début de novembre. Vous voyez que vous y aviez votre place !

Lequesne tourna vers elle un regard grave, dur, étonné.

— Rassure-toi, dit Gérard : il n'est pas encore parti !

Puis il se leva et prit nonchalamment du recul, pour mieux observer ces trois êtres dont il eût aimé plier à sa guise les destinées. Aucoc fumaillait, important, élégant, affreusement « propriétaire ». Luce assourdissait son invité d'un gazouillis printanier. Quant à Lequesne, il ressemblait, les pieds ramenés sous la chaise, le front lourd, le teint mort, à quelque prévenu de droit commun, subissant l'interrogatoire du juge. Le petit caniche blanc s'était approché du malheureux et reniflait obstinément le bas de son pantalon, ses souliers. Lequesne était gêné par cette insistance. Il essayait d'écarter de la main le museau fureteur. En vain.

— Jenny vous a pris en amitié, dit Luce, pour le mettre à l'aise.

Il rougit. Sans soute mesurait-il jusqu'à l'écrasement l'impossibilité de plaire à cette femme entourée de meubles précieux, oisive, soignée, vicieuse et pas très intelligente. Et Gérard, lui-même, commençait à juger folle son entreprise. La manœuvre était si puérile qu'il s'étonnait d'y avoir attaché le moindre crédit. Sa présence avec Lequesne chez les Aucoc n'arrangeait rien, n'avançait rien.

— Je vais partir, dit Lequesne d'une voix faible. Il est très tard. Je dois me lever tôt demain...

— Pour nous aussi, il est temps de partir, dit Paul. Onze heures et demie ! Les Prouvelat-Duteille nous attendent à minuit.

— Ecoute, mon chéri, tu ne peux pas y aller seul, chez les Prouvelat-Duteille ? dit Luce. Je suis si fatiguée... Tu inventeras une histoire de migraine... Gérard me tiendra compagnie...

Lorsque la porte fut retombée sur Paul et sur Lequesne, Luce courut passer un peignoir et revint au salon, où son frère l'attendait en taquinant le chien.

Dans ce vêtement de crêpe rose et flottant, elle lui parut plus vulnérable soudain.

Il la regarda s'asseoir, hisser le caniche sur ses genoux et lui caresser l'échine d'une main lente. Brusquement, elle dit :

— Il en avait une drôle de tête !

Il sursauta, rappelé à ses décisions. Bien qu'il sût parfaitement de qui il s'agissait, il demanda :

— Qui ?

— Lequesne, parbleu !

— Pas étonnant !

— Pourquoi ?

— Allons ! ne fais pas l'innocente...

— Je t'assure que je ne sais pas.

Il remonta les lunettes sur son front, se tapota la racine du nez et répondit d'une voix calme :

— Tu bats tes propres records !

— Il a des ennuis ?

— Plutôt !

— Il est amoureux ?

— Curieux que, pour une femme, avoir des ennuis ce doit d'abord être amoureux ! Elles ne voient pas plus loin ! Des œillères !

— Il n'est pas amoureux ?

— Si.

— Et elle ne l'aime pas ?

— Sait-on jamais !

— Et il n'ose pas lui parler ?

— Non.

— Qui est-ce ?

— Toi !

Elle semblait stupéfaite. Elle marmonna :

— Tu es fou ?

— Lui, plutôt.

— Il te l'a dit ?

— Il ne parle plus que de ça !

Elle éclata d'un rire faux, lança ses belles mains en l'air et les rattrapa l'une dans l'autre :

— Quelle histoire ! Comme c'est amusant ! Le pauvre ! Mais non... ce n'est pas possible ! Si, pourtant... j'avais bien remarqué, avant mon mariage... Mais jamais je n'aurais cru !... En tout cas, pas à ce point !... Et il souffre ?

Quelle mine gourmande pour lui poser cette question !

— Sois tranquille : il souffre beaucoup.

— C'est affreux ! Il t'avait prié de l'amener chez moi, ce soir ?

— Non.

— C'est toi qui l'as décidé ?

— Oui.

— Pourquoi as-tu fait ça ?

— Le meilleur moyen de décourager un soupirant n'est-ce pas de lui montrer l'objet de sa passion filant le parfait amour avec un autre ? Il vous a vus installés dans une entente sans heurt. Le ménage modèle. L'alliance indestructible. Le bonheur à toute épreuve... Il a compris qu'il était un intrus, qu'il rôdait en vain autour de cette chaude félicité conjugale, que tu étais morte pour lui, morte pour l'aventure...

— Merci tout de même !

— Je ne te dis rien là qui ne soit flatteur !

— Oui... mais tu as une façon de présenter les choses...

Il ne répondit pas. Il avait manœuvré juste. Luce était piquée qu'il la jugeât inapte aux coquetteries efficaces.

— Qu'est-ce qu'il faut faire ? dit-elle.

— Deux solutions : ou bien, refuser de le revoir...

— Tu crois que ce serait une bonne tactique ?

Il sourit :

— C'est une tactique un peu brutale, mais qui se défend. Ou bien, feindre d'ignorer ses sentiments, l'inviter comme si de rien n'était, tuer le mal par l'usure.

— Tu ne penses pas que cette dernière méthode serait préférable ?

— Elle demande beaucoup de doigté.

— Sans doute. Mais je ne voudrais pas faire de peine à ce garçon. Il est si gentil, si triste...

Immédiatement, Gérard affirma que Lequesne était, en effet, un être d'élite et qu'une brillante carrière l'attendait s'il se consacrait aux lettres. Pour l'instant, il n'écrivait que des vers et n'avait encore rien publié.

— J'aimerais les lire ! Tu crois qu'il me les montrerait ?

— Peut-être. Mais tu n'y comprendrais rien.

— Parie !

— « Parie » quoi ?

— Parie que je comprendrais !

Gérard haussa les épaules :

— Tu ne m'as toujours pas rendu *Le Meurtre de Monsieur Nolle.*

— Je ne vois pas le rapport ?

— Il n'y en a pas : et c'est bien là ce qui est terrible !

— Quand auras-tu fini de parler par énigmes ? Tu m'agaces !

Elle claqua des doigts avec irritation. Le petit chien sauta de ses genoux et se dirigea vers le coussin, en frétillant de la queue.

— Cet animal est un philosophe, dit Gérard.

— Pourquoi ?

— Parce que, quand il voit qu'une femme s'énerve, il préfère lever le siège et retourner dormir dans son coin.. Je vais suivre son exemple.

— Je ne m'énerve pas !

— Regarde-toi dans une glace.

— Et puis après ? Tu crois qu'il n'y a pas de quoi s'énerver avec toutes ces histoires ?

— Quelles histoires ?

— Lequesne ! C'est très ennuyeux ce que tu m'apprends là !

— Pour lui, peut-être.

Elle étira devant elle ses longs bras souples, cligna des

yeux, fit une gorge de colombe et susurra langoureusement :

— Ah ! la la ! Que c'est étrange !... Que les hommes sont étranges !... Que la vie est étrange !...

— Je sens que tu vas prononcer des paroles profondes, dit Gérard. Il est temps que je m'en aille. Mais je te demande instamment de ne rien rapporter à Paul de notre conversation. Ce serait maladroit et pas très gentil.

— Que vas-tu imaginer ? Tout cela demeurera entre nous, bien sûr ! Et s'il m'écrit ?

— Je ne crois pas qu'il aille jusque-là : il n'a tout de même pas perdu la tête !

— Je n'en suis pas aussi sûre que toi, dit-elle.

II

Dans une modeste rumeur de papotages et de petits rires, le public essentiellement féminin des cours du Louvres se hâtait, vers la sortie. Comme Marie-Claude franchissait le seuil, elle ne put retenir un cri :

— Vigneral ?

Il était debout, dans un coin de la cour intérieure, et dévisageait avec attention le flot bavard, futile et maquillé qui s'engouffrait sous le porche dans un martèlement de talons hauts. A l'appel de son nom, il tourna la tête, aperçut Marie-Claude.

— Que faites-vous là ? dit-elle.

Il riait, dressé devant elle de toute sa taille, l'impérméable ouvert sur une veste ouverte, et il ne portait pas de gilet. Il tenait une serviette sous le bras droit. Sa main gauche serrait un chapeau de feutre roulé en tube. Ses cheveux blonds, dépeignés, bougeaient dans le vent.

— Je vous attendais, dit-il simplement.

— Moi... ou quelqu'un d'autre ?...

— Mais non, vous... vous seule. Vous allez comprendre... J'en avais assez de proposer du papier carbone à des gens qui n'en voulaient pas. Il était cinq heures et quart. Je me trouvais rue de Rivoli. Je me suis souvenu de vos cours du Louvre, et j'ai décidé d'aller vous cueillir à la sortie, à tout hasard.

Elle le regardait, interloquée :

— Vous avez de la chance : je sors tous les jours à des heures différentes... C'est très compliqué... Mais qu'est-ce qui vous a pris, tout à coup ?

Elle parlait vite, d'une voix courte, essoufflée et elle rougit, parce que deux jeunes femmes, qui avaient été assises à côté d'elle, se retournaient après les avoir dépassés.

— Partons, dit-elle.

— Volontiers. Je me sentais perdu dans cette volière. Il y a de belles filles dans le tas. Voulez-vous que nous allions prendre le thé dans une petite boîte que je connais, à deux pas d'ici ?

C'était réellement une petite boîte, basse de plafond, aux murs de boiserie beige, aux carreaux en culs de bouteille, et avec des lithographies anglaises sur les murs. Il y avait peu de monde. Ils choisirent une table de coin, près de la fenêtre.

Marie-Claude était ravie de l'aventure. Que ce grand

garçon, que cet ami de son frère, se fût dérangé pour bavarder avec elle lui paraissait extrêmement flatteur. (Il la jugeait donc intelligente, ou amusante, ou jolie ?) Elle regrettait de ne s'être pas mieux habillée. Elle n'était pas poudrée, et ce pull-over gris à manches longues (le même qu'il lui avait déjà vu !) portait une tache d'encre au poignet. Ses mains n'étaient pas faites. Ses cheveux étaient mal coiffés. Justement, il examinait son pull-over, ses mains, ses cheveux, et souriait drôlement.

— Je vois avec satisfaction que vous avez renoncé à vos insignes ! dit-il.

Comme il était sûr de lui ! Cette plaisanterie déplut à Marie-Claude. Elle murmura :

— Je n'ai plus pensé à les mettre, simplement. Mais, dès demain, je réparerai cet oubli !

Il eut un beau rire gaillard et secoua la tête :

— Parfait ! Parfait ! Je suis éreinté, ma petite Marie-Claude. J'ai couru toute la journée pour rien. Regardez mon carnet de vente : deux boîtes de papier carbone et six rouleaux de machine à écrire. Une aumône ! C'est bien simple, si mes parents ne m'aidaient pas un peu, je n'arriverais jamais à boucler mon budget de célibataire ! Quelle humiliation !...

Sa voix sonnait trop haut dans cette pièce discrète, habituée aux chuchotements des vieilles dames désœuvrées et des couples bien élevés. Tout en parlant, il servait le thé, avec des gestes embarrassés d'homme fort. Et elle s'amusait à le voir manier, avec une vigueur inutile, la minuscule théière en porcelaine et à filtre en forme de calice. On sentait en lui une franchise brutale, une gaieté maladroite et saine qui commandaient la sympathie. Comment Gérard pouvait-il le critiquer ? Elle eût voulu qu'il lui parlât encore de sa journée, de sa fatigue, de ses ennuis. Elle demanda :

— Pourquoi ne cherchez-vous pas une autre place ?

— Parce que je ne suis bon à rien. Le travail assis me fait peur. Dans mon métier, du moins, je bouge, je vois des gens, j'essaie de les rouler. J'ai l'impression de vivre...

— « Vivre », pour vous, c'est « rouler des gens » ?

— Mais pour tout le monde ! Si on ne se roulait pas les uns les autres, l'existence serait assommante. Il y a un vers de machin... La Fontaine : « La vie est une comédie à cent actes divers, dont la scène est l'univers... »

— Laissez les citations à Gérard !

— Prenez un homme et une femme qui s'aiment. Plus ils s'aiment, plus ils se roulent. Et plus ils se roulent, plus ils s'aiment... Lorsque vous vous marierez...

Elle sursauta. Elle avait horreur qu'on fît allusion à son mariage.

— Vous ne pourriez pas trouver un autre sujet ? dit-elle.

Mais pourquoi donc ajouta-t-elle aussitôt :

— D'ailleurs, je n'ai pas du tout l'intention de me marier ! (comme si elle eût craint qu'il ne changeât de conversation).

— La plaisanterie a trop servi pour être drôle, dit-il. Toutes les jeunes filles que je connais...

Mais elle se rebiffa :

— Je vous en prie, ne m'étalez pas vos expériences !

Il lui saisit la main dans sa poigne dure :

— Hé là ! Hé là ! disait-il d'une voix rieuse. Ne nous emballons pas !

Qu'avait-elle donc ? Comme elle regrettait tout à coup ses paroles ! Elle s'était couverte de ridicule. Il devait la juger stupide, méchante. Elle prit le parti de boire son thé à grosses gorgées, pendant qu'il la dévisageait en souriant. « Pourvu qu'il ne dise rien ! » pensait-elle. Et il ne disait rien.

Alors, elle se mit à parler de Gérard, avec une fausse désinvolture. Il travaillait à une nouvelle traduction. Il lui avait conseillé de lire Proust « en prenant des notes ». Il avait avancé son essai sur le Mal, mais avait refusé de lui laisser entre les mains « cette fameuse dose d'explosif ». Vigneral l'écoutait avec ennui. Quel besoin éprouvait-elle de raconter les moindres gestes de son frère ? L'admiration qu'il devinait dans ses propos l'agaçait vaguement. Il dit :

— Vous aimez beaucoup Gérard ?

— Quelle question ! Bien sûr.

— Il est pour vous un ami, un confident...

— Oh !... non.

— Pourquoi ?

— Parce que je n'oserais pas lui dire ce qui me passe par la tête...

— Il ne vous comprendrait pas ?

— Je le crains.

— Vous ne le trouvez pas un peu... bizarre ?

— Il est très intelligent.

— Sans doute. Mais n'avez-vous pas l'impression qu'il est différent des autres ?

— Tant mieux pour lui !

Etait-elle idiote, ou cherchait-elle à noyer la conversation ? Elle s'était remise à boire son thé, les yeux mi-clos, le sang aux joues et, quand elle releva la tête, ses lèvres de bébé étaient toutes mouillées.

Vigneral promenait un regard tranquille sur cette petite face terne aux yeux de gemme, sur ce corps grêle, dont les seins haut campés tendaient le pull-over de laine grise. Il remarqua aussi cette tache d'encre sur la manche qui s'effilochait un peu. Une gosse. Et, tout compte fait, à peine jolie. Il songea que des amis pourraient les rencontrer dans la rue. Il aurait beau leur affirmer, plus tard, que cette fillette insignifiante était une camarade, ils ne le croiraient pas. Ils répandraient le bruit qu'il avait pour maîtresse une gamine de dix-sept ans, médiocre, mal nippée et timide. Or, il tenait essentiellement à ce qu'on admirât les femmes qui l'accompagnaient. Il se rappela le visage bistre, aigu, méchant, aux belles lèvres savantes de Tina. Et, par contraste, la figure de Marie-Claude lui sembla plus indigente encore. Comme si elle eût deviné sa déception, elle sortit une houppette et se poudra à petites gifles nerveuses.

— Ne me regardez pas, dit-elle.

Et elle ajouta :

— Vous ne pouviez pas me dire que j'avais le nez luisant ?

Luce avait dû prononcer cette phrase devant elle, et elle la répétait comme un perroquet.

Il avait été bien imprudent d'aller la chercher à son cours. Elle devait le croire amoureux d'elle, pour le moins. Ces péronnelles de dix-sept ans, ça vous échafaude un roman sur une intention de stricte politesse ! Il alluma une cigarette :

— Je ne vous en offre pas, dit-il.

— Vous avez tort, j'en prendrais bien une.

— Vous fumez à présent ?

— Mais... depuis longtemps.

Il savait qu'il n'en était rien, mais qu'elle essayait de l'étonner par ses manières déliées. Après quelques bouffées, elle toussota :

— Elles sont fortes.

Il ne répondit pas. Il s'embêtait. Il avait envie de partir. Il sortit une pièce et en tapota le bord de la soucoupe.

— Il est tard ? demanda Marie-Claude.

Avec une muflerie paisible, il dit :

— Je ne sais pas.

Aussitôt, il se reprocha cette réplique. La petite face triste se détourna. Il n'avait pas remarqué ce bouton de fièvre près de la bouche, et cette poudre accumulée aux ailes du nez. Tout cela était pitoyable et charmant. Pour se racheter, il lui propasa de la raccompagner chez elle.

— Merci, dit-elle rapidement. Je préfère rentrer seule.

— Vous n'êtes pas fâchée ?

— De quoi ?

Oui, de quoi ? Ils s'étaient levés tous deux. Vigneral aidait Marie-Claude à enfiler son manteau. Il respira sur elle un sage parfum de pommade.

Lorsqu'elle fut sortie, il demeura un long moment à rêvasser devant les vitres tendues de nuit. Cette histoire était absurde. Il était mécontent de lui. Il était mécontent d'elle. Et, les consommations payées, il ne lui resterait pas assez d'argent pour passer la soirée au « Toc-Toc Bar ».

*

Gérard entra dans la chambre et s'assit à côté de sa mère qui tricotait.

— Elle n'est pas encore là, dit-il.

— Il n'est que sept heures moins vingt.

— Son cours finit à cinq heures et demie.

— Elle a pu s'attarder avec une amie.

L'ARAIGNE

Mme Fonsèque tenait la tête penchée sur le côté et, de ses lèvres entr'ouvertes, s'échappait un souffle laborieux de vieille. Une mèche grise, détachée, lui barrait la joue.

Gérard lui en voulut d'être aussi calme, alors que l'inquiétude le tenaillait déjà. Il grommela :

— Qu'est-ce que tu tricotes ?

— Une liseuse pour Luce.

— Elle ne la mettra jamais.

— Pourquoi ?

Lorsqu'il était de mauvaise humeur, il éprouvait l'envie mesquine de chagriner sa mère. Et cependant, il avait pour elle une affection très profonde de grand fils rageur. Mais il était de ces hommes dont la tendresse a constamment besoin d'être tisonnée. Il aimait mieux la pauvre femme, après chaque scène, avec une sorte de remords mouillé, de pitié méchante.

Il haussa les épaules, retira ses lunettes qui le fatiguaient. Ses yeux apparurent, petits et bêtes, dans la figure brusquement mise à nu.

— Je suis fourbu, dit-il. Les gens s'imaginent qu'on ne peut travailler qu'au bureau. Je certifie pourtant que j'abats à domicile plus de besogne que n'importe quel rat d'administration. Et quelle besogne ! A peine plus intéressante que la leur !

Cette sortie était destinée à sa mère : elle lui avait reproché, la veille, d'avoir refusé la place que les Aucoc lui proposaient dans leur affaire de salaisons.

Mme Fonsèque soupira et se gratta le crâne avec son aiguille :

— Tu devrais aller t'étendre un instant, Gérard. Et puis, pourquoi portes-tu ce gilet par-dessus ton chandail ? Tu as froid ?

— Probablement.

Il se leva, s'approcha de la fenêtre. Il ne pleuvait pas. Une brume grise étouffait la nuit.

Hier soir, les Tellier avaient dîné à la maison. Elisabeth semblait retranchée dans ce bonheur béat qui fait dire aux commères : « Il lui fallait un homme ! » Son mari la léchait des yeux entre deux bouchées. En face du couple, Gérard se sentait gêné. Il n'était plus tout à fait le frère. Il ne pouvait plus rabrouer sa sœur, ou se moquer d'elle ainsi qu'il le faisait jadis. Lorsqu'il avait critiqué le chapeau de la jeune femme, « fleuri comme un jardin de garde-barrière », il avait remarqué l'expression fâchée de sa mère et le regard étrange de Tellier, ce regard de locataire lésé dans son droit, ce regard d'usager mécontent : « De quoi se mêle-t-il ? » Et Luce qui, après avoir promis d'inviter Gérard et Lequesne à la campagne, ne donnait plus signe de vie ! Fallait-il lui rappeler sa promesse ? Et Marie-Claude qui ne rentrait pas ! Son angoisse filait, s'enrichissait de l'une à l'autre de ses sœurs. Il se démenait en esprit, comme ces chiens hargneux, perchés sur la voiture des blanchisseurs et qui aboient aux passants, les pattes enfoncées dans les ballots de linge.

L'ARAIGNE

Il se détacha de la fenêtre, marcha d'un coin à l'autre de la pièce, désœuvré, ennuyé, farouche. Puis, il s'arrêta devant sa mère :

— Je vais l'attendre au métro, dit-il.

Dans la rue Saint-Antoine, un coin de chaussée était en réparation. De vieilles femmes, vêtues de haillons, des gosses sordides venaient ramasser les pavés de bois éclatés sous la pioche. Entre les quatre feux rouges du chantier abandonné, ils se baissaient, se redressaient, absurdes, maléfiques, et enfournaient leur butin dans des cabas. Une fillette chargeait de sable une voiture d'enfant démantelée. Gérard les dépassa et rejoignit le trottoir grouillant des magasins. Il n'aimait pas cette rue bruyante, secouée, ourlée d'un rempart de victuailles. La vue de ce déballage alimentaire lui soulevait le cœur. Ces blocs de beurre d'un jaune malade, couronnés d'une voilette dérisoire. Ces poissons aux ventres pâles, jetés sur des branches de sapin. Ces légumes empilés en barricades. Ces monstrueuses montagnes de viande, à grandes plaies ovales et qui ne saignaient plus : une exposition de moignons proprets, sur un fond blanc, ébloui, de clinique. Un camion était arrêté entre deux boucheries. Un gaillard, enturbanné d'une serviette maculée de brun, hissait un quartier de bœuf en travers de son épaule et l'apportait, d'une démarche fléchie, jusqu'au centre de la boutique, où des crochets libres attendaient. Et cette énorme masse de chair, pendait contre l'homme, s'accolait à l'homme, voluptueusement.

Une foule de ménagères se bousculaient autour des étalages, telles des mouches sur une flaque de miel. Elles avançaient, reculaient, clabaudaient, le porte-monnaie serré contre le ventre, la tête occupée de calculs infimes, l'œil pilleur. Dans ce fade relent de mangeaille, elles préparaient de quoi bourrer leur famille pour le soir. Leur laideur, leur indigence, leur empressement de poules voraces lui giclaient au visage. D'où lui venait ce dégoût peureux de la populace ? Il écrivait un livre pour enseigner le bonheur à ceux qui l'ignoraient, et voici qu'il se surprenait à les haïr. « Je ne travaille bien que dans la colère. »

Pourtant, ces femelles abominables avaient quelque chose de commun avec ses sœurs. Elles leur étaient apparentées par la chair, par l'essence même de leurs pensées. Elles étaient plus proches d'Elisabeth, de Luce, de Marie-Claude qu'il ne le serait jamais !

Il buta contre une jeune femme qui se retourna et lui sourit. Elle était pâle, décoiffée par la lumière brusque des boutiques. La suivre, lui parler. A quoi bon ? L'amour pouvait-il provoquer cette fusion dont il rêvait ? Il l'avait cru jadis. N'être plus seul. Se décharger de soi. Souffler un peu à côté de son propre fardeau. Non. La communion amoureuse était un leurre. Une exaltation spirituelle éparse s'alourdit, s'implante dans la chair, s'exaspère dans un organe et, le spasme éprouvé, il ne reste plus qu'une lassitude ennuyée et un peu ridicule : « Hélas ! mon désir est vain ! Où est cet espoir d'unité ? » écrit Tagore. Tout n'était que boucherie, marchandage, ventre, sommeil...

Il arriva près de la sortie du métro. Un vendeur de journaux clamait : *Paris-Soir, l'Intran*, d'une voix morne. Près de la carte, une femme âgée, la jupe haute, ajustait son bas. Et cette pose frivole jurait horriblement avec les grosses jambes gonflées de varices, et le visage ridé comme un vieux gant.

A intervalles réguliers, la bouche du métro s'ouvrait sur un vomissement de foule. La pensée que Marie-Claude allait émerger vers lui, portée par ce flot humain, lui répugnait un peu. Marie-Claude, serrée entre ces bedaines, entre ces cuisses, entre ces épaules, noyée dans cette écœurante odeur de viande sur pied... Pourquoi était-elle en retard ? Peut-être s'était-elle trouvée mal pendant le cours ? Elle lui avait souvent dit que la salle était trop chauffée. Peut-être avait-elle été renversée par une auto ? Il dénombrait, sans trop y croire, ces hypothèses pour impatience majeure.

Il avait froid. Il serait enrhumé ce soir. Comme la veille du mariage de Luce. « Quelle malchance ! » s'était exclamée sa mère. Et Luce était venue le voir, avant de se coucher pour la dernière fois dans son lit de jeune fille. Elle avait la face enduite de vaseline, et un filet à mailles lâches emprisonnait la flamme de ses cheveux. Elle sentait le savon, la peau fraîchement lavée.

A sept heures vingt, Marie-Claude trouva son frère

posté au bord du trottoir, le col dressé, le chapeau cornant les oreilles.

— D'où viens-tu ?

— J'ai pris le thé avec une amie.

— Qui ?

— Totote... Totote Rouchez. Tu ne connais pas ?

Non, il ne connaissait pas. Mais peu lui importait. Il marchait à côté de sa sœur, soulagé et las. La nuit avait une odeur de gel, d'essence, de fumée. Il serrait le bras de la jeune fille. Il ne lui parlait pas. Il la regardait, inquiet, radieux, comme s'il eût failli la perdre.

III

La villa des « Trembles » était une lourde bâtisse en pierre grise, basse de toit, haute de fenêtres et cernée de grands arbres noirs.

Luce accueillit Gérard sur le perron :

— Lequesne est déjà là, dit-elle vivement. Mais, tu sais, ce n'est pas moi qui ai voulu l'inviter !

— Et qui donc ?

— Paul ! Il le trouve très sympathique. Dans ces conditions, je ne pouvais pas refuser. Mon attitude aurait paru suspecte.

— Tu as bien fait.

— N'est-ce pas ?

Elle était enchantée.

Dans le vaste salon du rez-de-chaussée, encombré de meubles à tapisseries sévères, Elisabeth, Joseph Tellier et

Lequesne, assis en demi-cercle, « faisaient des frais » aux parents Aucoc. Paul, debout derrière les invités, la face mollette et soignée telle une brioche, le cheveu collé comme d'un coup de langue, la cravate en avant, couvait la scène d'un œil bleu attendri.

— Vous devriez vous présenter aux prochaines élections cantonales, disait Tellier.

— Il n'est pas impossible que je me laisse tenter, soupirait M. Aucoc père. La politique a besoin de vues fraîches. Pour moi, je suis solidement fiché dans la terre française, mais mon patriotisme n'est pas aveugle. Il faut tenir la tête haute et regarder tout de même à ses pieds. Je sais que la jeunesse n'est pas toujours de cet avis (il tendit la main à Gérard sans interrompre son discours). Elle n'admet pas de moyenne mesure. Mais nous autres, Monsieur Tellier, nous n'ignorons pas que la vérité se trouve à mi-côte, à flanc de coteau. C'est pour cela que j'avais voulu appeler cette villa « La Vérité ». Ma femme s'y est opposée.

— Songez aux plaisanteries, dit Mme Aucoc. « La Vérité » est à louer ! « La Vérité » est à vendre !

— Moi vivant, « La Vérité » n'aurait jamais été à louer, jamais à vendre !

Aucoc pointait un doigt vers le plafond. Et ce bonhomme corseté, enflé, sonore, était en quelque sorte magnifique.

— Vous avez fait bon voyage, Gérard ? dit Mme Aucoc.

Notre propriété est un peu loin de Paris, bien sûr, mais il est tellement agréable de quitter ce bruit, ces tracas, et de se plonger dans un bain d'herbe, de silence et de grand air.

Ce devait être une phrase passe-partout de son mari, et Mme Aucoc la dégustait mot à mot, comme une friandise compliquée.

Elle fut désolée d'apprendre que Marie-Claude était restée à la maison pour préparer des cours et que Mme Fonsèque n'avait pas voulu la laisser seule. Mais elle comptait bien garder Gérard et Lequesne jusqu'à mardi. Quant aux Tellier, ils prendraient l'autocar lundi matin, puisqu'ils travaillaient tous deux ce jour-là.

— Je veux qu'on se sente à l'aise sous mon toit. Mon ambition est qu'on m'oublie. Madame de Fauchois me disait souvent que, lorsqu'elle arrivait devant ma porte, elle sortait machinalement sa clef, tellement elle avait l'impression de rentrer chez elle ! N'est-ce pas le meilleur compliment qu'on puisse faire à une maîtresse de maison ?

Elle roucoulait, sucrait son regard, retapait d'un doigt les bouclettes qui lui coiffaient le crâne comme des motifs de pâtisserie.

— Si tu faisais visiter le jardin à ton frère et à son ami, Luce, reprit-elle. Monsieur Tellier et Elisabeth, qui le connaissent de ce matin, nous tiendront compagnie. Mais passe un manteau. Il fait frais.

Gérard regarda Lequesne. Il s'était levé. Il accompagnait Luce des yeux. Et son visage avait une expression d'ardeur illuminée qui le rajeunissait. Tout cela parce qu'il avait été invité et qu'il reprenait espoir. Quelle farce ! « Et pourtant, je l'ai voulu ainsi. »

Ils sortirent. Luce et Lequesne marchaient devant. Gérard et Paul Aucoc les suivaient de près. Mais Gérard s'amusait à ralentir progressivement le pas. Tout en conversant avec Paul, il prêtait l'oreille au bavardage des deux jeunes gens qui les précédaient.

— Je n'ai jamais su reconnaître les arbres, les légumes, les herbes d'un jardin. Qu'est-ce que c'est que ça ? demandait Luce.

— Des choux, disait Lequesne. Et ici des betteraves, du persil. Regardez le pied de cet arbre. Une chèvre l'a, sans doute, mutilé. Il va falloir faire une greffe pour raccorder les deux parties de l'écorce.

— Avec des bouts de bois ?

— Avec des rameaux d'un an et de la même espèce que l'arbre à traiter.

Il avait saisi une branche morte par terre et s'en fouettait le jarret :

— Vous taillez les extrémités en biseau, et vous les introduisez sous la peau de l'arbre. Puis, vous recouvrez toutes les section de l'écorce avec du mastic à greffer. Demandez à votre jardinier de vous faire voir l'opération. C'est très amusant.

Il brisa la branche par le milieu et lança les morceaux au loin.

— Vous êtes extraordinaire ! D'où savez-vous tout cela ?

— J'ai vécu à la campagne, dans mon enfance...

Gérard s'arrêta, feignant de rattacher son soulier. Lorsqu'il se releva, le couple était assez loin et on ne distinguait plus leurs paroles.

Luce avançait d'une démarche élastique « pour jardins ». (Il y avait eu un article, la semaine dernière, dans son journal de modes favori, sur la façon dont une jeune femme moderne et soucieuse de plaire devait adapter ses enjambées à la nature du sol.) Elle avait cueilli une herbe et la suçait en montrant un peu ses dents vives. Elle se sentait très jolie, bien qu'il n'y eût pas de soleil. Lequesne avait raison d'être amoureux d'elle. Nul doute que, s'il s'était déclaré, elle l'eût remis à sa place ! Mais cette adoration à feux voilés était bien agréable. Elle le provoqua d'une voix légère :

— Je ne pensais pas que vous aimiez le grand air, la campagne ! Je vous croyais un type dans le genre de Gérard ! Vous êtes très renfermé, sans doute ?

— Oui.

Elle frissonna d'un plaisir de gourmet : « Nous y voilà ! » songeait-elle :

— Par timidité ?

— Ou par prudence.

— Vous avez tort. Je n'aime pas les hommes prudents. Il faut savoir se lancer délibérément dans l'aventure !

— Je ne m'en fais pas défaut. Mais je choisis mes aventures.

— Raisonnable ?

— Non.

— Intuitif ?

— Le mot est affreux !

— Mais la chose est si jolie !

Elle était assez contente de sa réplique. Elle pencha la tête sur son épaule dans une pose ensommeillée et lui sourit doucement. Lequesne tournait vers elle un visage maigre, mat, aux grands yeux sombres effilés vers les tempes. Luce jugea qu'il avait un « masque intéressant » lorsqu'il se tenait de trois quarts et le front baissé. Les hommes n'étudient pas assez leurs attitudes. Ils ne sont beaux que par hasard. Et sans presque s'en rendre compte.

— Gérard m'a dit que vous écriviez des vers, reprit-elle.

Il rougit, cligna des paupières :

— Oui.

— Des vers... des vers comment ?

Elle n'était nullement gênée de parler littérature avec ce garçon plus instruit qu'elle et dont Gérard même appréciait la compétence. Elle possédait au plus haut point cette faculté féminine de dire à n'importe qui, n'importe quoi, sur n'importe quel sujet, avec la conviction de le confondre par la justesse de son propos.

— Des vers sur tout et sur rien. De courts poèmes sur l'angoisse de vivre, et d'autres très longs sur les mains, ou sur un sifflet de train dans la nuit, ou sur...

— Récitez-moi ceux sur le sifflet du train dans la nuit !

Il se mit à rire et secoua la tête. Il n'était plus de trois quarts, et elle le déplora intérieurement.

— Je les ai oubliés, dit-il. D'ailleurs, ils étaient détestables.

— Et vous n'en faites pas sur les femmes ?

— Si, bien sûr !

— J'aimerais beaucoup qu'on en fît sur moi.

— Ce n'est pas très difficile.

— Vous ne voulez pas essayer ?

— Mais j'ai déjà essayé, dit-il tranquillement.

Elle battit des mains :

— Récitez-les-moi !

— Je les ai déchirés.

— Pourquoi ?

— Ils n'étaient pas ressemblants.

— Et vous allez recommencer ?

Ils étaient côte à côte et leurs regards étaient profondément croisés.

— Je vous le promets, murmura-t-il.

— Et ça, qu'est-ce que c'est, Monsieur Lequesne ? Un pommier ou un cerisier ? dit-elle tout à coup d'une voix polie.

Il tressaillit. Gérard et Paul se rapprochaient à grandes enjambées.

Après le dîner, on passa au salon pour les liqueurs. M. Aucoc père parlait toujours et Tellier, débordé, avachi, l'écoutait, sans plus même chercher à lui répondre.

— Notre mécanisme financier a besoin d'un sang nouveau. Le budget de l'Etat n'est pas en équilibre sincère...

Mme Aucoc, Elisabeth, Luce, discutaient chiffons, migraines et bonnes œuvres. Gérard proposa une partie d'échecs à Paul, et le vainqueur rencontrerait Lequesne.

Ils s'installèrent dans un minuscule fumoir surchauffé, encombré de sièges bas pour derrières de kangourous, et de petites tables approximativement arabes à incrustations de nacre. Des tapis pendaient sur les murs. Deux plats de cuivre bosselés étaient posés sur des trépieds de chaque côté d'un divan. Et la lampe Berger qu'on venait d'éteindre avait délayé dans la chambre une odeur aigrelette et fraîche. Par la porte-fenêtre, on apercevait le perron qu'éclairait un fanal invisible et, plus loin, le jardin était noir, avec juste un peu de gris pour l'amorce idéale de l'allée. On entendait les conversations de la pièce voisine, le pas de la bonne à l'étage au-dessus.

Gérard et Paul, assis devant l'échiquier, réfléchissaient avec une mine torturée avant de bouger la moindre pièce du jeu. Lequesne, debout, un verre de fine à la main, semblait suivre la partie, mais, en vérité, toute son attention s'appliquait à discerner parmi les voix proches une certaine voix dont le moindre accent le touchait. Ayant paré une attaque difficile, Gérard leva les yeux sur son camarade. « Il l'aime. Il est suspendu à chaque signe de sa présence. Il est mûr pour n'importe quelle folie. Et elle subit l'ascendant étrange de ce garçon. »

— A vous de jouer, Gérard.

Il avança une main hésitante au-dessus du rang décimé des pions.

— Qui est-ce qui gagne ?

Luce avait écarté la tenture et regardait les trois jeunes gens réunis autour de la table.

— Comment veux-tu qu'on te réponde avant la fin de la partie ? dit Paul.

— Moi, je n'aime pas ce jeu, parce qu'il dure trop longtemps et que les partenaires ont toujours l'air de s'ennuyer ! Vous ne jouez pas, Monsieur Lequesne ?

— J'attends mon tour.

— Vous en aurez pour toute la nuit. Je sors promener le chien. Voulez-vous me tenir compagnie ?

Il la suivit. Bientôt, Gérard vit leurs silhouettes apparaître au bord du perron, descendre et fondre pas à pas dans les ténèbres.

— Echec à la reine ! dit Paul.

Gérard déplaça la reine en diagonale, et, de nouveau, Paul se tut, fronça les sourcils, mordilla sa lèvre inférieure, pensivement.

« Il réfléchit au piège que je lui tends sur l'échiquier, mais ne soupçonne pas celui qui le menace dans sa propre vie. Et sa disgrâce est si proche, que j'ai pour lui plus de pitié que de haine. »

Une valse timidement pianotée le tira de sa rêverie. Mme Aucoc jouait dans la pièce voisine.

— Schubert, dit Paul.

— Peut-être.

Luce et Lequesne devaient être assis, à présent, sur ce banc de pierre, entre deux arbres, dans l'odeur mouillée de la nuit. Que disaient-ils ? Leurs mains s'étaient-elles déjà rencontrées ? S'embrassaient-ils déjà, anéantis de plaisir et d'étonnement ? Mais non. L'intrigue s'ébauchait à peine... Le cœur de Gérard battait à coups rapides et il sentait les pulsations du sang au bout de ses doigts crispés. Devant lui, Paul tripotait une figurine d'ivoire entre l'index et le pouce.

— Diable, diable ! disait-il.

Telle était l'inconscience du malheureux dans cette affaire, que Gérard eut envie soudain de lui crier qu'il était trompé.

Le piano se tut. Et ce calme nouveau était insupportable. Insupportable aussi, la tristesse qui se mêlait bizarrement à sa joie. Il prit sa tête dans ses paumes. Il eût aimé, brusquement, pouvoir pleurer, ou être seul parmi ses livres.

— Vous en avez assez, Gérard ?

— Non... non...

Il poussa un pion d'un doigt négligent. Mme Aucoc s'était remise au piano.

— Mozart, dit Paul.

Mais Gérard n'écoutait pas la musique. Des pas sur le perron. Le grincement de la porte. Le rire, la voix de

Luce, dans le salon. Ils étaient revenus ! Quelques instants encore et ils seraient devant lui, et leur visage et leurs propos les trahiraient sûrement. Il sortit son mouchoir, essuya ses paupières, ses joues, son front brûlants et suants. Les anneaux de la tenture écartée cliquetèrent sur leur tringle.

— Il fait un froid dehors ! dit Luce.

Elle claquait l'une contre l'autre ses petites mains aux ongles rouges. Et, en même temps, elle souriait d'un air de fierté sensuelle qui renseigna Gérard au-delà de ses espérances. Lequesne entra derrière elle. Il paraissait engourdi dans un bonheur de somnambule.

— Vous n'avez pas encore fini d'entre-dévorer vos reines et vos rois ? reprit Luce. Eh bien ! moi, je vais vous mettre d'accord d'une chiquenaude !

Elle fit mine de bousculer l'échiquier. Son mari lui saisit le poignet au vol. Alors, dans un besoin d'expansion immédiate, elle lui enlaça le cou de son bras resté libre, le baisa vivement à l'oreille et s'échappa sur une pirouette.

— J'ai une envie de t'ébouriffer ! s'écria-t-elle. Parie que je dors la fenêtre ouverte, cette nuit !

Et elle éclata d'un rire en fusée, tandis que Lequesne détournait ses yeux sur les vitres noires.

*

L'ARAIGNE

Etait-ce la chaleur des draps, ou l'odeur inconnue de la pièce, ou le tic tac apprivoisé de cette montre, à son chevet, qui retardaient le sommeil de Gérard ? Renonçant à dormir, il s'efforçait de ne plus penser. Il sentait qu'il lui fallait demeurer à la surface de lui-même pour préserver sa quiétude. Mais une puissance irrésistible l'attirait vers les mêmes remous de conscience. Il imaginait cette villa, perdue en plein cœur de la nuit, cernée par le silence, comme par une eau montante, et peuplée de chairs assoupies, de souffles confondus, de rêves. Des corps se rapprochaient, se frôlaient, des voix se cherchaient dans l'ombre. L'amour ? Il avait voulu croire, jadis, à l'existence d'une passion miraculeusement pure, mais il s'interdisait à présent d'en accepter l'idée. A quoi bon se leurrer davantage sur la nature du sentiment qui poussait l'une vers l'autre deux créatures affamées ? « Mariage, ménage, époux, moitié, » tous les mots relatifs à cette situation étaient lourds, ridicules, gonflés de sonorités bourgeoises, de grasses allusions à l'acte. Aimer supposait la chambre anonyme, le déshabillage hâtif, avec la chemise qui sort du caleçon, les fixe-chaussettes douteux, la combinaison mouillée, les corps velus ou boutonneux arrêtés l'un devant l'autre, le relent alliacé des sueurs, les baisers à bouche ouverte, l'étreinte maladroite et sautillante, les tristes hoquets de plaisir... Par quel tour de force méprisable, par quelle piteuse complaisance, avait-on paré cette ordure de toutes les nuances de la grâce ? Quelle complicité entre tous les arts pour masquer la figure animale de l'Amour ! La poésie faisait fleurir aux lèvres des amants des paroles qu'ils n'eussent jamais prononcées, la musique exaltait la trouble montée de sève qui les soudait l'un à l'autre, la peinture corrigeait l'expression bovine de leur face, la sculpture polissait le grain de leur chair, et des générations d'hommes et de femmes feignaient de croire à cette image menteuse et de s'y reconnaître, malgré leurs maladies, le souvenir de leur rut et de leur odeur dans les draps ! La plus harmonieuse conspiration ! La plus grandiose entreprise de camouflage ! Mais essayez donc de la dénoncer ! Le monde entier, tremblant à l'idée de perdre son illusion, vous tombera sur le dos : « Vous n'y comprenez rien ! Si vous aviez aimé ! Quand vous aimerez !... » Il n'avait pas aimé. Il n'aimerait jamais. Cela était certain. Ses rapports avec les femmes ? Une petite intrigue à dix-huit ans avec une amie de ses sœurs. Promenades. Cinéma. Ils ne s'étaient plus revus, un jour, sans trop savoir pourquoi. Cette séance aussi, dans une maison close, qu'il évitait de se rappeler. Le visage stupide, la bouche molle, béante, coloriée, qui sentait le dernier repas. Et puis... et puis les rencontres sans lendemain, les conversations à double entente... Autant dire rien !

Il s'était accusé d'abord de déficience sexuelle. Mais, à présent, sa conviction était autre. Une lucidité excessive lui défendait le plaisir des sens. Au moment où la raison des autres chavirait dans une ardeur honteuse, la sienne luttait contre l'anéantissement, contre la nuit du corps, contre la folie d'en bas. Il n'avait pas de mal à vaincre le désir de la créature. Mais un autre désir le hantait — la possession des âmes — auquel il ne pouvait se soustraire. Il avait cru que Lequesne, du moins, le comprenait. Mais Lequesne ne valait pas mieux que les autres, bien que sa vie intérieure fût cultivée comme un carré de choux. Il avait suffi d'un appel de Luce pour que le jeune homme acceptât de la suivre. Cette situation fausse ne l'effrayait pas, ne lui répugnait pas, l'amusait peut-être. Il barbotait allégrement dans ce jus de tromperies minuscules. Pour mesurer la valeur d'un homme, braquez-le sur un lit. Il dépouille ses théories avant même de dépouiller ses vêtements. Il révèle toutes les tares de son âme, alors que ses habits voilent encore les accidents grotesques de sa peau. Pas un qui résiste à l'épreuve !

— Il pense à elle, en ce moment. Et elle pense à lui. Et c'est par ma volonté qu'ils sont réunis sous ce toit.

Il se haussa sur les oreillers. Il étouffait. Il avait peur, soudain, de ce qu'il découvrait en lui de tristesse et de méchanceté. Pourquoi était-il malheureux ? N'était-ce pas lui qui les avait poussés dans les bras l'un de l'autre ? N'avait-il pas espéré, préparé ce dénouement ?

La pluie coulait sur les vitres invisibles, et son chuchotement de vieille femme bavarde était dans la chambre, près de lui. Il se dit tout à coup qu'il était peut-être malade. Mais non, son cœur battait régulièrement.

— Ce n'est rien, ce n'est rien, murmura-t-il.

Luce passait de mains en mains. Lequesne la reprenait à Paul, un autre la reprendrait à Lequesne. Combien étaient-ils à rôder autour d'elle, flairant la piste, tirant la langue, attendant ? La quête de la femme, la chasse ! Voilà ce qui était atroce ! Il importait peu que Luce, dans son lit, devant son lavabo, songeât à Lequesne, plutôt qu'à Paul ou qu'à Vigneral ! En quoi, lui, Gérard, gagnerait-il au change, si l'un de ces hommes remplaçait l'autre auprès d'elle ? Celui-là, quel qu'il fût, était haïssable qui s'interposait entre ses sœurs et lui. Il ne voulait pas être aimé. Il voulait être seul aimé. Qu'elles détournassent de lui un regard, une pensée, et déjà il se sentait trahi !

Il se rappela qu'enfant il détestait tous ceux qui approchaient ses sœurs et les faisaient rire. Un jour qu'Elisabeth était sortie en vélo avec un garçon de son âge, il s'était enfermé dans un placard, avec l'espoir d'y mourir étouffé. On l'avait découvert là. On l'avait étendu sur le canapé du salon. Et sa mère lui avait caressé le visage avec un linge trempé d'eau fraîche : « Pourquoi t'es-tu caché ? » Il avait refusé de répondre.

Personne ne se pencherait sur lui, ce soir, pour l'interroger d'une voix douce, pour essuyer son front chaud. Et, pourtant, c'était la même souffrance qu'il éprouvait, après tant d'années, et pour les mêmes êtres.

Il ne bougeait pas, atterré par cette révélation. Et d'autres souvenirs l'assaillaient en trombe. Cette tristesse subite, quelques heures plus tôt, lorsque Luce et Lequesne étaient rentrés de leur promenade. Cette rage de surprendre certain regard entre Elisabeth et son mari. Cette crainte de voir Marie-Claude s'intéresser à quelqu'un, admirer quelqu'un ! C'était donc cela ! Ah ! Il n'en pouvait plus douter ! Il n'en doutait plus ! Toute son existence s'était écoulée dans l'appréhension que ses sœurs dussent lui être ravies. Mais l'inquiétude peut devenir un état d'âme aussi permanent, aussi normal que la sérénité. Il avait fallu cette dernière aventure de Luce pour qu'il prît conscience de son désespoir. A présent, il souffrait, il souffrait de toutes ses forces, avec un étonnement blessé, une épouvante enfantine, une envie de sangloter, de crier qui lui nouait la gorge. Il écartait des branches sur un fond de boue. Il inclinait son visage sur ce trouble reflet de lui-même. Il tremblait de si bien se reconnaître dans cet étranger.

— Moi ! moi !

Il retomba sur ses oreillers, la face baignée de sueur, les tempes sourdes.

Que faire ? Quel bonheur espérer, quelle attitude prendre ? Fallait-il souhaiter que Lequesne levât le siège ? Absurde. Il valait mieux que le jeune homme profitât de son avantage. L'essentiel était d'arracher Luce à son mari. On verrait bien, plus tard, si le vainqueur saurait défendre sa conquête. Ne rien dire, ne rien tenter, laisser s'accomplir les destins. Mais n'était-il pas cruel de songer qu'il avait été l'artisan de sa propre infortune, qu'il avait dressé entre sa sœur et lui un visage, un corps, qui eussent pu demeurer dans l'ombre ! Il avait attisé leur amour naissant ! Il s'était fait leur complice !

— Qu'importe ! Lequesne doit réussir. Ma dernière chance est là. C'est mon propre bonheur qui se joue...

Inconsciemment il joignit les mains.

Une branche craqua, s'effondra, dehors. Une porte grinça au fond du couloir. Puis, ce fut encore le silence.

Gérard alluma une cigarette. Dans la glace sombre de l'armoire, en face de lui, il voyait le bout incandescent se balancer au gré de ses gestes comme une mouche de feu. Et il appliquait toute son attention à suivre les mouvements de cette lueur minuscule.

*

Gérard ne se réveilla qu'à neuf heures. Une lumière de pluie filtrait à travers les volets clos. La pièce sentait vaguement le plâtre, l'encaustique. Une petite montre à écrin de cuir, ouvert en tryptique, tintait sur la cheminée.

Il se leva, s'habilla rapidement et sortit dans le couloir. La chambre de Lequesne était située à côté de la sienne. Gérard frappa à la porte. Mais personne ne répondit. Il allait pousser le battant, lorsque la bonne, qui débouchait de l'escalier, l'arrêta :

— Monsieur Lequesne est parti, dit-elle.

— Comment ?

— Oui, ce matin, à sept heures et demi. Il a pris l'autocar avec Monsieur et Madame Tellier.

— Il n'a vu personne avant son départ ?

— Personne, Monsieur.

— Il ne vous a pas chargé d'une commission pour moi ?

— Non, Monsieur.

La bonne s'était éloignée. Gérard demeurait dans le couloir, les jambes molles, le cœur sensible. Lequesne parti ! Fallait-il s'en réjouir ou s'en désoler ? La nuit même, il avait décidé de laisser le jeune homme poursuivre l'aventure, et voici que ses plans se trouvaient à nouveau déjoués ! Que s'était-il passé la veille, au jardin ? Luce avait-elle si nettement découragé le jeune homme qu'il avait préféré s'enfuir ? Avait-elle méprisé ses avances ? Avait-elle feint de ne pas le comprendre ? La voir, l'interroger au plus vite.

Il descendit l'escalier quatre à quatre, et pénétra dans la salle à manger où Luce était assise, seule, et déjeunait d'un grape-fruit serti dans un bol de verre.

IV

L'interrogatoire de Luce n'avait pas donné les résultats attendus. La jeune femme jouait les dignités éclaboussées. Elle affirmait s'être montrée fort aimable avec Lequesne, mais leur promenade avait été strictement amicale. Les suppositions de son frère la chagrinaient beaucoup. Quant au départ clandestin de son invité, elle en était la première étonnée et elle aurait bien du mal à le faire admettre par ses beaux-parents et par son mari. Aussi ne reverrait-elle Lequesne que s'il consentait à lui présenter des excuses.

Rien d'autre à tirer de cette péronnelle maquillée, parfumée et têtue. Au reste, elle était peut-être sincère. Dès son retour à Paris, Gérard résolut de passer chez Lequesne. Lui seul saurait le renseigner d'une façon décisive. Il était probable que le garçon n'avait pu supporter l'idée de vivre sous le même toit que le mari de Luce. Ce malentendu s'annonçait, en fin de compte, comme un excellent prétexte de rapprochement. Mais il fallait agir sans retard.

Vers quatre heures de l'après-midi, Gérard sonnait à la porte de son camarade. Il entendit le vibrement du timbre contre la cloison, mais personne ne vint ouvrir. Il sonna encore, il frappa. En vain. Ni Lequesne, ni sa mère, n'étaient à la maison. Il n'avait pas prévu ce contretemps. Il s'assit sur une marche, attendit quelques minutes. Mais son exaltation était telle qu'il ne pouvait rester immobile. Il valait mieux revenir plus tard. Pour l'instant, rien ne l'empêchait de se rendre au magasin. Tellier avait pris l'autocar en compagnie de Lequesne. Peut-être serait-il à même de lui expliquer les motifs de ce retour inopiné ? Il dévala l'escalier, héla un taxi, et, renversé sur la banquette, les yeux clos, les mains à plat sur la poitrine, s'efforça de respirer calmement.

Le magasin, qu'il n'avait pas vu depuis deux ans, avait été repeint en vert bouteille. Des pelotes de laine, des espadrilles, des cache-sexes et des tricots décoraient la vitrine. De chaque côté de la porte, il y avait un éventaire chargé de pauvres lingeries. Une seule vendeuse était à son poste, en plein air, transie, hargneuse, les mains enfoncées dans les poches de son tablier gris.

— Monsieur Tellier, s'il vous plaît.

— Il n'est pas là. C'est pour affaires ?

Il hésita un instant avant de répondre :-

— Pour affaires, oui.

— Alors, je regrette.

— Mais je peux l'attendre...

— Si vous voulez. Vous trouverez une chaise près du comptoir. Seulement, je vous préviens qu'il en a bien pour une petite heure.

Gérard gravit deux marches de pierre et pénétra dans le magasin. Un relent d'étoffe, de crésyl et de poussière prenait la gorge. Il faisait sombre. Les murs étaient recouverts de cartons noirs à poignées de cuivre et à étiquettes. Le comptoir, très long, occupait le tiers de la pièce. Gérard alluma une cigarette à cause de l'odeur.

C'était donc là que Tellier passait toutes ses journées ! Dans ces pénombres de puits, dans ces senteurs âcres de moisissure. Après avoir remué ces boîtes poudreuses, gueulé de gros mots contre les gamines, flatté doucereusement les fournisseurs, bu un coup dans quelque bistrot, compté sa monnaie, posé les volets, il revenait chez lui, éreinté, abruti, les mains sales, et l'altière Elisabeth lui ouvrait la porte et lui tendait ses lèvres dès le seuil ! Qu'avait-elle trouvé chez cet homme qui la retînt ? Une humilité d'infirme, peut-être, un dévouement de raté...

Un agent de police entra pour chercher la pèlerine qu'il avait laissée dans le magasin pendant sa faction. Puis, il toucha son képi et sortit en roulant des épaules. Un rat traversa la pièce.

Dans le silence qui suivit, Gérard entendit croître le bruit de sa respiration. Une torpeur énervée relâchait ses membres. Il fallait réagir. L'idée lui vint d'interroger la vendeuse. Elle ignorait son identité. Peut-être lui feraitelle quelque révélation utile sur la gestion de Tellier ? Mais il ne savait pas causer avec les « gens simples ». Il s'approcha du seuil. Que dire ? A tout hasard, il demanda :

— Je croyais qu'il y avait deux vendeuses ?

— Oui.

— L'autre est malade ?

— Non. Seulement c'est tout comme, puisque c'est moi qui me tape le boulot !

— Mais elle, qu'est-ce qu'elle fait ?

— Elle se démerde, pardine !

— Et Monsieur Tellier n'y voit pas d'inconvénient ?

Il crut qu'elle allait le rabrouer. Mais elle s'exclama :

— Pensez-vous ! Ces hommes-là, ça gueule à casser les verrières, et il suffit de pas grand'chose pour leur couper le sifflet.

— Il a peur d'elle ?

Au lieu de répondre, elle cueillit une épingle à son tablier et se mit à curer ses ongles sales et vernis. Il eut la maladresse d'ajouter :

— Elle en sait long sur lui, probablement ?

— Qu'est-ce que ça peut vous faire ?

Elle le regardait, les poings sur les hanches, les paupières plissées de méfiance, le nez haut. Un museau de fouine.

— Rien, dit-il. Mais je voudrais comprendre...

— Je suis là pour servir le monde et pas pour le renseigner. Si vous voulez des explications, vous leur en demanderez quand ils seront revenus !

— « Quand ils seront revenus » ? Ils sont donc ensemble ?

Elle s'aperçut de la gaffe et lui lança un coup d'œil méchant.

— Je ne sais pas, dit-elle.

— Où sont-ils ?

— Je ne sais pas.

Elle se balançait d'avant en arrière, comme une gosse au piquet. Gérard haussa les épaules. Il ne pouvait s'agir que d'un différend professionnel entre le gérant et sa vendeuse. Une histoire de carottage dans les comptes ou de malversations aux assurances sociales. Inutile de s'accrocher à de pareilles vétilles. Il emploierait mieux son temps en téléphonant à l'immeuble où logeait Lequesne. Le concierge saurait bien lui dire si le jeune homme était rentré.

Il n'y avait pas d'appareil dans le magasin. Mais il avait remarqué un bistrot, sur le trottoir d'en face, au coin de la rue.

La gamine se baladait d'un bout à l'autre de l'éventaire, le sac à main coincé sous l'aisselle comme un coussinet de béquille.

— Je m'absente pour quelques instants, dit Gérard.

— Je dirai que c'est de la part de qui ?

— Ne parlez pas de ma visite.

Il lança une pièce de cinq francs sur la pile de linge et s'éloigna rapidement.

Comme il s'apprêtait à pénétrer dans le bistrot, il tressaillit et se rejeta d'un coup contre la muraille. A travers les vitres, il avait aperçu la silhouette familière de Tellier, attablé à côté d'une femme.

Au bout d'un moment, Gérard s'avança et les regarda de nouveau. Ni l'homme ni sa compagne ne pouvaient le voir. Assis de trois-quarts, ils discutaient avec animation. Soudain, l'inconnue posa sa main sur la nuque de Tellier et approcha de lui son visage, qui, de profil, apparut jeune, maigre, troué d'un grand œil maquillé. Elle était nu-tête et portait le même tablier gris que la vendeuse. Tellier n'avait pas bronché. La fumée de sa cigarette s'élevait au-dessus de ses cheveux. Sur le cou épais, la petite patte voleuse aux ongles de feu restait accrochée.

Le souffle happé, les jambes fauchées par l'émotion, Gérard recula dans l'encoignure d'une porte cochère. Il manquait d'air. Il étouffait de haine et de joie. Il en savait assez maintenant. Il fallait interroger l'autre vendeuse, lui faire rendre gorge, l'acculer aux aveux... D'une secousse rageuse, il s'arracha à l'appui du mur et fit un pas, deux pas, puis se mit à courir vers le magasin.

La vendeuse l'accueillit en riant :

— Vous venez chercher la monnaie ?

Il ne dit rien. Mais, soudain, il vit la figure de la gamine prendre une expression inquiète et elle s'accota au chambranle. Il devait avoir l'air d'un fou. Une sueur chaude lui graissait la face et il haletait et il toussait, les mains jointes à hauteur du ventre.

— Quoi ? Qu'est-ce que vous voulez ?

Il gronda :

— Rentrez dans la boutique. J'ai à vous parler.

Il ne reconnut pas le son égorgé de sa voix. Il se sentait envahi par une colère subite contre la malheureuse. Et, en même temps, il eût souhaité tomber par terre et qu'on le laissât dormir dans un coin.

— Je n'ai pas le temps de discuter, dit-il. Vous connaissez Madame Fonsèque ?

— La patronne de la boîte ?... Oui.

— Je suis son fils. Je viens de voir Tellier et la vendeuse au bistrot. Je devine tout. Mais il me faut des précisions. Si vous refusez de parler, je vous fais mettre à la porte... à la porte...

Elle balançait sa face verdâtre de hâtiveau, en balbutiant :

— Je ne suis pas au courant...

— Vous mentez ! cria-t-il. Vous m'en avez trop dit, tout à l'heure, pour prétendre ignorer quoi que ce soit maintenant !

Et il lui saisit le poignet dans sa main vive comme

une serre. Mais, devant l'air épouvanté de la gamine, il se ravisa et reprit plus doucement :

— Inutile de feindre avec moi. Vous avez tout à gagner en m'avouant. Si vous vous taisez, au contraire, il vous en cuira. Un prétexte est vite trouvé. Votre place dépend de vous. Je vous écoute...

Son invention l'étonnait lui-même. Il avait la conscience obscure que ce n'était pas lui qui parlait de la sorte, que jamais il n'aurait su parler de la sorte, qu'il rêvait. Un courant d'air frais glaçait les gouttes de sueur à ses tempes. La gamine se taisait toujours. Il dit :

— Ils couchent ensemble, n'est-ce pas ?

Elle sursauta, leva sur lui un regard d'idiote, ouvrit la bouche :

— Non.

Il se courba un peu, comme pour se rapprocher d'elle et la prendre dans son regard :

— Ils ont couché ensemble ?

— Oui.

Gérard sentit un resserrement horrible dans sa poitrine. Il tremblait d'une satisfaction honteuse. Il avait peur que l'autre ne le détrompât, ne lui gâchât d'un mot son plaisir.

— Et maintenant ? murmura-t-il.

— Elle le fait marcher.

Il ricana :

— Elle ne veut plus de lui ?

— C'est lui qui ne veut plus d'elle.

— Depuis quand ?

— Depuis son mariage. Un peu avant même...

Une déception ignoble reflua en lui. Mais, déjà, il revoyait en esprit le cou lourd de Tellier, et cette griffe de poulet accrochée à hauteur des cheveux :

— Alors pourquoi la retrouve-t-il dans ce bistrot ?

La vendeuse reprenait un peu d'assurance. Elle fit la moue :

— Parce qu'elle le tient. Elle lui raconte qu'il l'a démolie, qu'elle a une métrite, des tas de machins, qu'elle a besoin de se soigner, que ses parents lui font des histoires, qu'il lui faut de l'argent... Tout ça pour le faire cracher...

Il la laissait parler, à présent, sans plus l'entendre que le grondement proche de la rue. On ne pouvait pas dire que Tellier eût trompé Elisabeth. Mais cette liaison crapuleuse était une belle charge contre lui. Elisabeth partageant la couche d'un Don Juan d'arrière-boutique. Elisabeth prenant la succession d'une gamine malpropre et malhonnête. Elisabeth mendiant les caresses que cette fille à la face plâtrée et aux cheveux sales avait reçues avant elle. Il y avait là de quoi rabattre sa morgue un bon coup. Il y avait là de quoi gagner la partie.

— Comment s'appelle-t-elle ?

— Marcelle Audipiat.

— Où habite-t-elle ?

— 40 rue Championnet.

Il sortit un calepin et nota le nom, l'adresse, d'une main rapide.

La vendeuse avait ouvert son sac et se repoudrait machinalement. Lorsqu'il eut fini d'écrire, elle demanda :

— Vous direz pas que c'est moi ?

— Je vous le promets.

— Et je garderai ma place ?

— Je vous le promets également.

Elle se moucha :

— Quel métier de flic !

Gérard contemplait avec un dégoût émerveillé cette fille qui revenait à elle, qui se trémoussait, qui s'ébrouait comme une chienne douchée.

Tellier pouvait rentrer d'une minute à l'autre. Il fallait partir. Cependant, il était trop heureux pour retourner chez lui. Et les histoires sentimentales de Lequesne et de Luce ne l'intéressaient plus qu'à moitié. Il se rappela que Vigneral passait toutes ses soirées au « Toc-Toc Bar ». Gérard n'avait jamais mis les pieds dans cette boîte. Mais il éprouvait le besoin de clore par un geste exceptionnel une journée qui lui avait réservé tant d'utiles surprises.

*

La salle du « Toc-Toc Bar » baignait dans une lueur ambrée pour maquillage de personnes mûres. Dans le coin, un nègre tapait sur un piano avec de grandes mains funèbres. Tina, vêtue d'une jaquette blanche à revers bleus, secouait le shàker à hauteur d'oreille, versait les consommations à dose homéopathique, interpellait les clients, houspillait le garçon, raflait la monnaie. Bien qu'il fût sept heures, tous les tabourets étaient pris. Vigneral s'assit à une table du fond. Tina lui fit un bonjour frétillé du bout des doigts. Le musicien lui sourit avec une grâce carnassière et appuya sur la pédale en secouant la tête. Le serveur s'approcha :

— Un gin-fizz. Monsieur ?

— Et un club-sandwich.

Il dînerait légèrement. Puis, il attendrait la fermeture de la boîte et coucherait avec Tina dans une chambre d'hôtel qui sentirait le calorifère. La régularité minutieuse de ce programme l'ennuyait. Mais il avait besoin de ce bar plein de fumée et de bruit, de cette fille coloriée comme une soucoupe pour s'abrutir à la bonne mesure.

Il avait commis aujourd'hui la plus détestable gaffe de son existence. Et ce n'était pas faute de s'être prévenu pourtant ! Les choses s'étaient passées avec une simplicité diabolique. Sa tournée de représentant finie, il était allé voir Gérard. Gérard venait de sortir. Mais Marie-Claude l'avait reçu dans le salon. Ils étaient restés là près d'une heure, à bavarder sur un ton de camaraderie inoffensive. Plus tard, (à quel propos ?) elle avait voulu lui montrer une photo en groupe de sa classe, prise l'année dernière. Ils étaient entrés dans sa chambre. Il se rappelait cette pièce proprette, sagement meublée, ornée de portraits d'acteurs, et qui ne fleurait pas le parfum, mais très vaguement la pommade, la poudre.

Il s'était assis sur le bras d'un fauteuil. Elle avait ouvert un tiroir bourré de crayons, de gommes, de cartes postales et d'échantillons d'étoffe, et en avait extrait une photo de style universitaire, collée sur un carton sépia. Une profusion de laides petites jeunes filles s'étageait sur deux rangs autour d'une dame au facies de jument.

« — Vous me voyez ?

— Non.

— Tout en haut. Près de la grosse qui a des lunettes.

— C'est vous cette affreuse gamine à figure de fille-mère criminelle ?

— C'est moi, il y a un an ! Je n'ai pas eu le temps de changer, je pense ! »

Elle riait, penchée sur son épaule :

« — Ce qu'on a pu en faire des blagues cette année-là ! On avait Mademoiselle Cuissard en math. Un jour, un marchand d'habits est passé dans la rue en chantant et Mathilde Cohen s'est mise à crier que c'était son père et qu'elle voulait lui parler. Mademoiselle Cuissard était folle de rage ! Et la fois... »

Elle devenait volubile lorsqu'il s'agissait de ses souvenirs de lycée : une gaieté hâtive de récréation. Vigneral avait l'impression curieuse d'être un « grand » perdu dans la cour des filles. Et il appréciait fort cette attitude de

« méchant loup » qui lui était brusquement imposée. Marie-Claude continuait de parler et, tout en parlant, elle lui respirait dans le visage avec une dangereuse innocence. Mais, soudain, il avait eu la conviction qu'elle ne pensait pas à ce qu'elle disait. Et lui-même n'y pensait pas. Tous deux étaient obsédés par la même idée.

Alors, avec la sensation délicieuse de commettre une imbécillité, il lui avait pris les mains, l'une après l'autre. Elle s'était tue, rose, effrayée, les dents entr'ouvertes sur la cavité précieuse de la bouche. Il avait amené son visage au niveau de ce visage préparé. Et, sans lâcher du regard les beaux yeux que l'approche du baiser élargissait, déformait dans un frisson lumineux d'eau verte, il avait embrassé cette peau douce d'enfant, sur le menton d'abord, puis, d'une lente progression, sur la joue, puis sur les lèvres qui s'étaient naïvement crispées, ne livrant à sa faim qu'un tiède parfum de fard et d'haleine retenue. Mais, entre ses bras, tout le corps s'était mis à trembler. Lorsqu'il avait fait mine de s'écarter, elle avait caché la tête contre son épaule dans un courbe mouvement d'oiseau.

Certes, sur le moment, il avait été plutôt fier de lui. Et même en la quittant, une demi-heure après, il n'était pas mécontent de l'aventure. Mais, à présent, il mesurait tout au long les conséquences fâcheuses de son geste. Pour le bref plaisir de caresser une gamine inexperte, il s'était engagé dans un réseau serré de complications.

Coucher avec elle ? Il n'y fallait pas songer. Lui faire

une cour d'attouchements limités, de bécots apéritifs, de regards implorants ? Il n'en voyait pas l'intérêt. De tout temps, il avait estimé que l'affection d'une jeune fille était un chèque sans provision. Elles vous font marcher avec une candeur digne d'un meilleur emploi. Et puis, lorsque vous êtes sous pression, elles se dérobent sur une pirouette de politesse outragée. Une seule solution : ne plus revoir Marie-Claude. Mais c'eût été bien dommage, puisqu'il la jugeait à son goût.

Au fond, tout cela était arrivé parce qu'il en avait assez de Tina. Cette fille hystérique n'était supportable que dans un lit. Il la regarda s'agiter derrière le bar, comme une marionnette secouée. Plus tard, elle viendrait lui annoncer qu'elle avait rendu visite à une voyante, ou que son amie lui avait tiré les cartes, ou qu'elle avait fait un rêve peuplé de drôlesses nues qui se promenaient sur un tas de fumier. Quelle misère !

A une table voisine, une inconnue, d'une beauté un peu lasse, aux yeux de blonde myope, aux lèvres désenchantées, sirotait un cocktail couleur de géranium. Visiblement, elle attendait quelqu'un. Vigneral en fut attristé. La vie se résumait pour lui à un continuel défilé de jolies femmes dont toutes lui plaisaient, dont certaines le retenaient, et dont il regrettait invariablement celles qu'il n'avait pas approchées. L'impression mélancolique d'être lésé dans la distribution. La manie du coup d'œil envieux à l'assiette du voisin. « Tu as les yeux plus gros que le bas-ventre, » disait Fonsèque. Fonsèque avait raison. La pensée de son ami le ramena encore à Marie-Claude. Il l'imagina troublée, honteuse, radieuse après son départ. Il avait promis de lui téléphoner. Le ferait-il ? Non. Un enfantillage sans lendemain. Il se rappela, avec un remords adouci, cette tête légère appuyée contre sa poitrine, ces petites mains agrippées à la manche de son veston. Il avait suffi qu'il embrassât la jeune fille, et déjà il ne la désirait plus, semblait-il, mais éprouvait pour elle une sorte de tendresse fraternelle et apitoyée.

Les yeux vagues, le front ridé, il se remit à pomper le niveau savonneux de son gin-fizz. Mais, dès les premières gorgées, il faillit s'étrangler : Fonsèque venait d'entrer dans le bar et se dirigeait vers lui. Sur le moment, il crut que son camarade avait été « mis au courant » (par qui ?) et s'apprêtait à lui faire une scène. Mais Gérard s'assit paisiblement à sa table et commanda « la même chose ».

— Tu n'as pas encore dîné ? demanda Vigneral.

— Non.

— Tu n'es pas passé chez toi ?

— Non.

Cette réponse le soulagea :

— Qu'est-ce qui t'a pris de venir ?

— Je voulais te voir, simplement.

Allons ! tout s'arrangeait pour le mieux. La conscience d'avoir échappé au péril donnait à Vigneral un regain de sympathie envers son camarade. Il lui semblait que la présence de Gérard le rapprochait encore de Marie-Claude. « Il la verra ce soir. Il lui racontera peut-être notre entretien... »

— Moi aussi je voulais te rencontrer, dit-il. Mais depuis quelque temps il est impossible de te prendre au gîte.

Gérard ricanait avec satisfaction et frottait l'une contre l'autre ses longues mains débiles.

— Le fait est que je suis assez occupé en ce moment.

— Du travail ?

— Oui.

— Littéraire ?

— Presque...

Brave Vigneral ! S'il avait su ! S'il avait pu savoir ! Le secret de Gérard l'oppressait jusqu'au malaise. Il secoua la tête, essuya son visage avec son mouchoir. Il n'y avait pas assez de monde, pas assez de bruit dans cette salle. Une humeur curieuse le poussait à désirer aujourd'hui tout ce dont il avait horreur d'habitude. Le sandwich qu'on lui avait servi était fourré d'une écœurante salade russe. Le gin-fizz lui râpait la gorge. La fumée lui brûlait les yeux.

— Tout cela est excellent, excellent ! déclarait-il avec un entrain frileux.

Il devait être près de huit heures, car les clients s'en allaient par groupes. Lorsqu'il n'en resta plus que deux, vissés au bar, Tina ôta sa veste et s'approcha des jeunes gens.

— Vous ne vous connaissez pas ? Monsieur Fonsèque, Mademoiselle Tina.

Vigneral était furieux d'avoir à les présenter l'un à l'autre. Il redoutait l'esprit critique de Gérard. Quelle femme eût trouvé grâce devant cet intellectuel impuissant ? Sans doute Fonsèque parlerait-il de cette liaison à Marie-Claude. Et en quels termes ! Mais n'était-ce pas ce qu'il pouvait souhaiter de mieux puisqu'il ne voulait plus revoir la jeune fille ? Tout de même, il était insupportable que Tina demeurât auprès d'eux !

— Tu n'as plus personne à servir ? dit-il.

— Mais non, *honey-chéri*...

Il jugea éminemment désagréable d'être traité de « *honey-chéri* » devant Fonsèque.

— Ce doit être un métier bien fatigant que le vôtre, dit Fonsèque, avec une amabilité que Vigneral estima perfide.

— Hélas oui ! monsieur. Et je suis appelée à fréquenter des gens de toutes les extractions. *Darling* m'a dit que vous écriviez. Ce serait un beau champ de manœuvres pour vous !

Vigneral frémit, comme s'il se fût retourné un ongle. De toute évidence, Tina éprouvait le besoin d'éblouir Fonsèque par l'aisance de ses manières et la richesse de sa conversation. C'était désastreux !

— Tenez, reprit-elle. Vous voyez le vieux qui est assis au bar; chaque semaine, il choisit une grue, l'emmène dans un hôtel et se fait appliquer de petits coups de règle sur le nez, jusqu'à ce que ça saigne. Après quoi, il se mouche et renvoie la grue avec deux louis.

— C'est donné ! dit Fonsèque.

— Nous avons aussi Monsieur Piédouche, celui qui a écrit des trucs sur la magie noire. Vous vous intéressez à la magie noire, sans doute ?

— Laisse-le tranquille ! dit Vigneral.

— Oh ! toi, sitôt qu'on parle de magie, tu perds pied. Il n'y a pas plus matériel que lui, monsieur. C'est dommage, avec son instruction !

Fonsèque ne quittait pas la jeune femme des yeux. Il était ravi qu'elle fût aussi commune et aussi bête. Il avait l'impression de prendre une revanche sur Vigneral, sur tout le monde. Son ami couchait avec cette fille. D'autres avaient couché et coucheraient avec elle. Il se trouverait toujours quelqu'un pour perdre son temps à courtiser, à forcer cette malheureuse. La disproportion entre les sentiments qu'elle soulevait et la valeur de la seule récompense qu'elle fût en mesure d'offrir était risible. L'amour paie mal son homme. A noter. Tina, sûre de son petit succès, roulait des yeux de prêtresse et proclamait d'une voix d'arrière-monde :

— Que voulez-vous ! Il y a des choses qu'on ne peut pas nier. Le magnétisme, la transmission de pensée. Tu connais Kekette, ma remplaçante ? Elle organise des messes noires dont elle est la Montespan ! Ça vous amuserait d'y aller ? Je pourrais m'arranger...

« Je suis assis à côté d'une femme dépravée, songeait Fonsèque, dans un bar, alors que ma mère, ma sœur, ignorent où je me trouve. » Tout cela était immonde à souhait. Il se fabriquait soigneusement d'étranges souvenirs.

Il remarqua l'expression furieuse de Vigneral. Sans doute était-il fâché que Tina lui fît des avances. Il était bien amusant de rendre jaloux ce tombeur de femmes professionnel. Il renchérit d'une voix polie :

— Ce que vous me dites m'intéresse fort. Vingtras, Stanislas de Guaïta, Eleonora Zagün !... Le satanisme est une science passionnante ! Il y a dans *Là-bas*, de Huysmans, une description de messe noire d'un réalisme véhément !

— Cette fois, je vois un client qui t'appelle, grommela Vigneral.

Fonsèque et son ami restèrent jusqu'à la fermeture du bar. Après quoi, ils se rendirent avec Tina dans une boîte de nuit voisine qui demeurait ouverte jusqu'à trois heures du matin.

Gérard était doucement ivre parce qu'il avait bu deux « gin-fizz maison ». Mais, à travers la confusion de ses pensées, une grande joie rayonnait pour lui. « Demain... Demain... » Il souriait au plafond, aux murailles. Tina le trouvait très « rigolo » et « pas du tout comme on lui avait dit ». Bien qu'il eût affirmé ne savoir pas danser, elle l'avait entraîné au milieu de la piste. Il devait se rappeler souvent ce rythme organique de tam-tam, ces figures décomposées dans une lueur de sorbet, ces corps qui s'accolaient et s'écartaient comme autour d'une charnière. Le visage de Tina était renversé au-dessous de lui, et, à travers la robe légère, il sentait ses seins, ses jambes remuer telles des bêtes. Elle riait. Une dent en or brillait au coin de sa bouche vernie. En passant devant Vigneral, elle disait : *hello !* Et l'autre tournait vers eux sa face rouge et triste.

Lorsque le jazz s'arrêta, Gérard crut qu'il allait vomir. Il revint à la table. La sueur lui coulait dans les yeux. Tina s'était affalée contre Vigneral et buvait avec une paille le fond sifflant de son verre. Fonsèque vit une égratignure violette sur le cou de la jeune femme. Il s'entendit appeler : « Gérard, Gérard, » par une voix lointaine de plein air. Il coucha le front sur ses paumes chaudes.

On dut le ramener en taxi.

V

Le lendemain, Gérard ne rentra qu'à huit heures du soir. Comme il retirait son manteau, il entendit le rire de Luce et se rappela que Mme Fonsèque l'avait invitée avec son mari pour le dîner. Il était en retard et la famille s'était mise à table sans l'attendre. Il ouvrit la porte, salua, grogna une excuse collective et s'assit devant sa ration de potage épais et tiède. Il mangeait machinalement, le menton bas, le regard vague. Le souvenir de cette fin d'après-midi occupait toute son attention. Il avait encore dans la tête l'expression noble et déshonorée de ce visage, le son égal de cette voix : « Je le savais. » A tout ce qu'il avait dit, Elisabeth avait opposé cette affirmation tranquille. Elle ne lui avait pas demandé d'où il tenait ces renseignements. Elle n'avait pas essayé d'apprendre si Tellier revoyait sa maîtresse (Gérard avait eu soin cependant de ne pas éclairer ce détail). Elle ne lui avait pas reproché de s'être immiscé dans la vie intime de son mari : « je le savais. » Mais par qui le savait-elle ? Le lui avait-il avoué au lendemain de leur mariage ? L'avait-elle découvert indirectement ? Et comment acceptait-elle de vivre auprès de lui puisqu'elle *le savait* ? Se pouvait-il qu'il la retînt par les sens ? Cette faim ignoble commandait-elle tous ses mouvements ? N'y avait-il rien d'autre qui comptât pour elle que le chavirement bégayant de la possession ? Il ne voulait pas se résoudre à le croire. La scène n'avait pas duré longtemps, dans ce café sordide où il l'avait entraînée à la sortie du bureau. Il contemplait toujours, en esprit, la sciure de bois sur le dallage, les tables de marbre cerclées de cuivre, et, devant lui, Elisabeth sévère, dure, droite, comme appuyée à une invisible muraille. La tristesse, la rage le dominaient à la pensée d'un échec aussi misérable. Ses manœuvres déjouées. Ses espoirs anéantis. Sa démarche tournée en ridicule, peut-être, dans la conversation qu'elle aurait ce soir avec Joseph Tellier. Il était seul de nouveau. Et ses armes se brisaient entre ses mains, comme dans les rêves.

Son désarroi l'absorbait au point qu'il laissait les répliques se croiser autour de lui sans y prendre garde. Dommage que sa mère eût prié les Aucoc à dîner. Il aurait souhaité voir le moins de visages possible, entendre le moins de voix possible, aujourd'hui. Un visage, une voix lui suffisaient. Ce visage de bas-relief, cette voix de destin : « Je le savais. »

Gérard s'aperçut qu'on avait changé son assiette et qu'il mangeait de la viande à présent, avec de la salade russe. Il se rappela le « Toc-Toc Bar », le club-sandwich, bourré de restes juteux, Tina se tortillant comme un ver coupé, Vigneral... Il était heureux alors. Il se croyait à quelques foulées du but.

— Savez-vous à quelle heure Gérard est rentré hier soir ? dit Mme Fonsèque. A trois heures du matin.

Et elle décocha à son fils un regard de fierté dolente.

Luce se gargarisa d'un rire clairet :

— Comment, tu cours les boîtes de nuit maintenant ? Et peut-on savoir quel est ton compagnon de débauche ?

— Vigneral, dit Mme Fonsèque. Je ne suis jamais tranquille quand il est avec ce garçon.

Le couteau de Marie-Claude tinta maladroitement contre son assiette.

— Ne dis pas de mal de « Feuille-de-Vigne », c'est un chou ! s'exclama Luce. Je le trouve très en beauté depuis quelque temps. Dix-huit sur vingt.

Marie-Claude ne releva pas la tête, occupée tout à coup à casser en deux un morceau de pain déjà minuscule.

— Il fait très Van Gogh première manière, dit Paul à tout hasard. N'est-ce pas, Marie-Claude ?

— Peuh...

— Vous n'aimez pas le genre nordique ?

La jeune fille rougit et balbutia d'un air gêné et important :

— Ça dépend par qui c'est porté !

Il y eut un grand éclat de rire. Puis, tout le monde se mit à parler à la fois. Et Luce plus fort que les autres. Elle faisait des mines, renversait la tête pour gonfler son cou laiteux et potelé de rousse. Le départ de Lequesne ne semblait pas l'avoir affectée. A moins qu'elle ne cachât son jeu pour dérouter son mari. Comme si ce douillet petit bonhomme élégant, prétentieux et stupide, eût été capable du moindre soupçon !

Plus tard, on en vint à discuter de croisières. Paul fourrageait dans son portefeuille, toujours bourré de photographies. Il voulait retrouver celle où il était représenté sur le trône de Minos. Luce insistait pour qu'il montrât plutôt celle où on le voyait offrant un cigare à un paysan grec ébahi. On passa un négatif qu'il fallut regarder par transparence.

— Mais si... je vois très bien, disait Mme Fonsèque.

Enfin, la famille se leva de table et se rendit dans le salon pour le café. Gérard fermait la marche, ennuyé, supérieur, absent.

— Il a une mine de rien du tout, gémissait Mme Fonsèque.

Et, se tournant vers lui :

— On a apporté une lettre pour toi au courrier de huit heures, mon chéri. Elle est dans l'antichambre. Si tu veux la prendre...

Il s'esquiva, enchanté de cette diversion. La lettre était

posée sur un plateau, parmi des prospectus de librairie. Il reconnut l'écriture de Lequesne et déchira l'enveloppe, avec l'espoir timide que ce billet, du moins, le consolerait de son échec auprès d'Elisabeth. Mais, dès les premières lignes, il s'affola. En quelques phrases rapides, le jeune homme l'informait de son départ pour Londres, où l'attendait cette place de précepteur dont il lui avait parlé : « Lorsque vous recevrez ce mot, je serai en route pour l'Angleterre. » Il affirmait qu'il ne s'agissait pas d'un coup de tête, mais d'une décision mûrement réfléchie et qui avait l'avantage de mettre fin à un état de choses aussi pénible pour lui que pour les autres. C'était tout. Pas la moindre promesse de retour. Pas la moindre indication d'adresse. La feuille portait l'en-tête du café de la gare d'où il l'avait écrite. Un *post-scriptum* demandait qu'on l'excusât auprès de Luce et des parents Aucoc.

Gérard replia le papier et le glissa dans sa poche. Ce dernier choc achevait sa défaite. Il perdait sur les deux tableaux. En quelques heures, Elisabeth, puis Luce, échappaient aux filets qu'il avait tendus. Tout était à recommencer. Ou plutôt, il fallait renoncer à tout. Car jamais il n'aurait le courage de reprendre cette lutte inégale. Il était à bout de forces, à bout d'inventions. Le sang montait à son front, gonflait ses oreilles bourdonnantes. Une douleur sourde lui serrait les yeux, juste au-dessus des paupières.

Pourquoi Lequesne avait-il fui ? Pourquoi Elisabeth acceptait-elle que Tellier la trompât ? Pourquoi ses prévisions logiques se trouvaient-elles toujours infirmées ? Lâcheté de part et d'autre. Lâcheté chez son camarade, parce qu'il craignait d'échouer dans le ridicule. Lâcheté chez sa sœur, parce qu'elle ne pouvait se passer d'un mâle qui la gavât de joie pour la nuit. Tous deux s'accrochaient à leur petite satisfaction du moment et redoutaient le péril d'une franche aventure. On sait ce qu'on quitte, on ne sait pas ce qu'on gagne. Et il travaillait pour ces mollusques du sentiment ! Et il s'acharnait à leur préparer un avenir dont ils n'étaient pas dignes ! N'y avait-il donc personne qui fût capable de vivre comme il l'entendait ? Le monde entier était-il composé d'êtres peureusement ratatinés sur leurs habitudes ? L'esprit de recherche, la dignité, le courage étaient-ils morts à jamais ?

Mais peut-être Lequesne respectait-il trop l'institution du mariage pour oser l'attaquer de front ? Erreur. Le mariage n'est pas respectable en lui-même. Un mariage harmonieux est respectable, parce qu'il est une des formes du bonheur humain. En revanche, si le mariage est grotesque, animal, piteux, il importe de le détruire dans l'intérêt même de ceux qui se sont trompés en le contractant.

Des voix, des rires lui arrivaient de la pièce voisine. Que dirait Luce lorsqu'elle apprendrait le départ minable de son soupirant ? Elle en serait soulagée, sans doute. Car elle ne valait pas mieux que les autres. Comme les autres, elle appréhendait les moindres accrocs à son existence confortable « Tant que le flirt ne dépasse pas certaines limites... » Cette admirable faculté des femmes de se livrer à plein corps au premier venu, tout en dédiant au voisin des pensées d'une transparence angélique ! Le beau cri de Zarathoustra : « Qu'il y ait de la vaillance dans votre amour ! » Que ne réveillait-on ces ronds-de-cuir de la passion, ces pantouflards du cœur, ces marmottes du mariage ! Au vrai, il les remerciait de lui donner tant de raisons de les haïr !

Les idées se brouillaient dans sa tête, au point qu'il eut peur brusquement d'une crise de folie, comme ce soir où, rentrant d'un cours de métaphysique, il s'était planté devant sa glace et s'était interpellé à voix basse : « Qui es-tu ? Es-tu certain que Gérard Fonsèque soit ton nom ? Que te sont les êtres qui t'entourent et que tu appelles : ma mère, mes sœurs ? »

Un délire analogue le possédait aujourd'hui, mais plus dangereux, parce qu'il en savait la cause.

Il regardait devant lui la tête de cerf empaillée et borgne, les manteaux pendus aux patères. Et il s'amusait étrangement à ne plus les reconnaître, à ne plus se reconnaître.

Il s'étonna bientôt d'être plus calme. Une joie timide se frayait un passage au cœur de son désespoir. Comme si le départ de Lequesne eût répondu à ses plus secrètes pensées ! Comme s'il eût souhaité de tout temps que le piège se refermât sur le vide ! « Un homme de moins entre elle et moi ! Un homme de moins ! Quelle pitié !... » Il se leva, suivit le couloir, ouvrit la porte du salon :

— Tu ne vas pas reprendre du café, Paul, disait Luce, avec tes insomnies...

— Je suis fatigué. Je vais me coucher, dit Gérard.

Sa mère s'inquiéta. Luce fit des plaisanteries sur les retours de bombe. Paul conseilla le bicarbonate...

De sa chambre, il entendait encore la rumeur de leur discussion. « Avec tes insomnies... » Il imagina le réveil en pleine nuit, l'appel d'une voix ensablée de sommeil, le remuement des corps rompus, repus, maladroits. Pouvait-on lutter contre cette alliance que crée entre deux êtres la franchise bestiale du repos en commun, des repas en commun, des communes défaites de la chair ?

Il jugeait ridicules, subitement, les prétentions qu'il avait eues de ravir Luce, Elisabeth, à l'existence fade où elles s'enlisaient. Il se comparait à ces roquets qui poursuivent le passant, aboient à ses trousses, tournent, sautent, s'épuisent, et l'autre continue son chemin, sans les remarquer.

Tout ce qu'on tentait hors de soi-même était vain. La solitude de chacun était sans trouée sur les solitudes voisines. Il fallait se résigner à n'exister que pour soi.

La chambre venait d'être aérée. Gérard se déshabilla rapidement. Par une habitude puérile, il gardait ses chaussettes pour la nuit.

A peine couché, il regretta de n'être pas resté au salon.

De quoi parlaient-ils maintenant. De lui, peut-être ? Ou de Lequesne ? Quelle langueur le prenait, lui serrait la gorge, lui donnait envie de pleurer soudain ? Il renversa la tête, cherchant inconsciemment le souffle régulier du sommeil. Ne plus penser à rien. Ne plus rêver. Dormir.

Plus tard, il s'assoupit, la bouche ouverte, et la lampe, qu'il avait oublié d'éteindre, éclaira jusqu'au matin son visage exsangue de blessé.

VI

A travers la porte, elle demanda :

— Je te dérange ?

— Oui, dit-il.

Mais déjà Mme Fonsèque poussait le battant et s'arrêtait sur le seuil, aveuglée par l'obscurité malsaine de la pièce. Bien qu'il fît jour, les volets étaient à peine écartés. Gérard, étendu en travers de sa couche, une main sous la nuque, la robe de chambre ouverte sur un pyjama défraîchi, fumait à lentes bouffées. Il avait pris son petit déjeuner au lit, et, sur une chaise, elle aperçut le plateau avec la tasse vide et une soucoupe barbouillée de miel.

— Elisabeth est là qui voudrait te parler, dit-elle.

D'un bond, il fut sur ses pieds.

— Quoi ?

— Elle a manqué le bureau pour te voir.

L'ARAIGNE

La voix de Mme Fonsèque tremblait drôlement. Tout à coup, elle gémit :

— Mais que s'est-il encore passé entre vous ?

Il se rajustait, entrebâillait la fenêtre, repliait les contrevents dans une hâte maladroite :

— Rien... rien, je t'assure.

— Alors pourquoi vient-elle ?

— Est-ce que je sais, moi !

Toutefois, il tournait le dos à sa mère, craignant qu'elle ne surprît, dans la clarté de la rue, l'expression affolée et méchante de son visage. Il ajouta, le plus tranquillement qu'il put :

— Va la chercher.

Mais elle ne bougeait pas, les bras pendants, la face avancée dans une expression mendiante. Elle balbutiait :

— Promets-moi d'être raisonnable...

Il se délivra dans une brève colère :

— Raisonnable ? En voilà un mot ! Mais de quoi as-tu peur, bon Dieu ? Tu prends plaisir à dramatiser les moindres événements !

— Souviens-toi de votre dernière conversation avant son mariage...

Il rougit et grommela que c'était de la « vieille histoire ».

Mme Fonsèque sortit en hochant la tête.

Gérard s'appuya au mur et ferma les yeux pour dominer le désordre qui le gagnait. Que lui voulait sa sœur ?

Il en avait assez de parer, de ruser. Quelles que dussent être ses attaques, il s'interdirait d'y répondre. Il refuserait le combat. Cette décision lui procura un soulagement qui l'étonna lui-même. On eût dit, que sa manœuvre le mettait hors d'atteinte, et que plus rien ne pouvait le rendre malheureux.

Il ne broncha pas d'une ligne lorsque Elisabeth entra. Elle avait gardé son imperméable. Un chapeau à bords étroits découvrait sa figure d'une pâleur malade. Ses lèvres étaient nues de fard et, entre ses paupières irritées, les prunelles luisaient d'un gris clair et glacé de lame.

Elle s'assit sur la chaise que lui désignait son frère, mais ses épaules ne touchaient pas le dossier.

Elle se taisait. Et il n'avait garde de rompre le silence, par crainte d'engager à faux la conversation. Brusquement, elle secoua le front et parla d'une voix fiévreuse, décolorée qui faisait mal :

— Tout ce que tu m'as dit au sujet de Joseph, ce n'est pas vrai, Gérard, ce n'est pas vrai ?

— Ne m'as-tu pas affirmé que tu étais au courant ?

Elisabeth tressaillit et braqua sur lui un regard immense :

— Je t'ai menti. Je ne savais rien. Mais j'étais sûre que tu te trompais...

Il ne sentait pas son cœur. La stupéfaction l'assommait. Et il ne restait plus rien en lui que le désir de se tenir droit, de ne pas faiblir, de ne pas faillir devant elle.

— Et à présent ? dit-il.

Les traits de la jeune femme eurent une contraction subite. Visiblement, elle luttait contre son orgueil en révolte. Elle murmura :

— Hier soir, j'ai répété à Joseph tout ce que tu m'as dit. Oh ! rassure-toi, je ne t'ai pas nommé. J'ai invoqué une lettre anonyme, soi-disant reçue le matin même et aussitôt déchirée. Je l'ai pressé de questions, je l'ai sommé de me répondre, je l'ai supplié de se justifier...

— Alors ?

— Il m'a parlé d'une maîtresse qu'il aurait eue avant notre mariage mais qu'il ne revoyait plus.

Une joie hideuse se haussait en lui. Il avait oublié sa décision de renoncer au débat. Il gouaillait :

— Et t'a-t-il précisé l'identité de cette personne ?

— Je ne l'ai pas voulu.

— Tu as eu tort. Le détail est savoureux. Une vendeuse. La vendeuse de notre magasin. Une petite grue vulgaire, à tablier, et à cheveux sales...

— Qu'est-ce que ça peut faire ? dit-elle d'une voix lasse.

Il s'indigna :

— Comment, qu'est-ce que ça peut faire ? Il t'est bien égal, sans doute, d'être délaissée pour une gamine qui se fait monnayer ses caresses !

— L'essentiel est de savoir si je suis réellement délaissée. Il m'a juré avoir rompu avec elle dès le lendemain du jour où j'ai accepté de le revoir. Mais je n'ai aucune preuve. Puis-je le croire ? Dois-je le croire ? Toi seul peux me renseigner.

Gérard ne lui avait jamais vu ce visage bouleversé de femme. Il avait fallu la sale petite histoire de Tellier pour qu'elle perdît tout contrôle sur elle-même et lui apparût dépouillée, faible, anxieuse, léchant ses plaies, implorant du regard qu'on la rassurât.

Un revirement aussi pitoyable écœurait Gérard et le comblait d'aise. La maîtrise des événements lui revenait au moment précis où il s'estimait dominé par eux. L'avenir du ménage Tellier dépendait de sa seule réponse. Une phrase, un mot, et la vie de ces êtres obliquerait dans le sens qu'il aurait choisi. Cette responsabilité éveillait en lui une angoisse allègre de virage :

— Tu as peur de parler ? souffla Elisabeth.

Il détourna la tête. Que dire ? La tentation le prit d'avouer que Tellier ne l'avait pas trompée. Mais c'était la rejeter vers l'existence insipide dont il voulait justement qu'elle s'échappât. N'y avait-il pas des cas où le faux témoignage se hissait au rang élevé des devoirs ? L'intérêt même d'Elisabeth lui commandait de mentir. Mais non ! Pourquoi se duper ? Une chose était certaine : on ne laissait pas filer une occasion pareille ! Pour combattre un tel adversaire, tous les moyens étaient bons !

— Tu te tais. Tu me ménages. Tu ne comprends pas que tu me fais mal en me ménageant, reprit-elle.

Il s'approcha de sa sœur et d'un geste rapide, honteux,

il lui posa la main sur l'épaule. Elle levait au-dessous de lui une figure émaciée, où les yeux étaient doux comme des yeux de chienne couchante. Il la devinait brûlée d'impatience, et il retardait son coup par pitié, par cruauté, savourant son propre calme en face de cette créature démontée. Il remarqua la veine qui s'était gonflée sur le front d'Elisabeth, comme le soir de leur dernière dispute. La bouche tremblait. Elle tenait les mains tellement serrées l'une contre l'autre qu'une lanière de peau pâle semblait en relier les articulations. Il commença doucement :

— Je voudrais pouvoir te tranquilliser, Elisabeth, ou du moins garder le silence. Je crains que tu ne me reproches ma franchise...

Elle ne quittait pas ses lèvres du regard. Elle chuchotait :

— Non... non... dis vite, comme une malade à bout de résistance et qui implore le médecin d'en finir au plus tôt.

— Me croiras-tu seulement ?

— Quel intérêt aurais-tu à mentir ?

Comme il se fût jeté dans le vide, les yeux grands ouverts, le cœur blanc, il murmura :

— Tu l'auras donc voulu. Il te trompe, Elisabeth. Il te trompe avec cette fille...

Il se tut, étonné de son audace malfaisante. Le dégoût refluait en lui avec la peur. L'idée l'effleura de se récuser dans un cri. Mais il était trop tard. Et puis ce n'était qu'un sale moment à passer. Plus tard, il jouirait de cette victoire durement arrachée à lui-même. Il se pencha sur sa victime pour voir ce qu'il lui avait fait. Le masque demeurait figé dans une sorte de stupeur avilie. Elle dit d'une voix à peine saisissable :

— Tu es sûr ?...

— Penses-tu que je me permettrais de t'en parler si je ne l'étais pas ?

— Comment l'as-tu appris ?

— Je les ai vus tous les deux, attablés dans un bistrot, se reluquant, se bécotant, se caressant...

Elle cria :

— Ce n'est pas vrai !

— Je t'avais bien dit que tu ne me croirais pas...

— ...Excuse-moi. Je suis folle...

Avec l'affreuse impression de travailler dans de la chair vive, il poursuivit :

— Aussitôt, j'ai couru au magasin. J'ai interrogé l'autre vendeuse. Elle m'a tout raconté...

— Je ne veux pas savoir...

— Tu le sauras. Il le faut, Elisabeth. Cette fille, il l'a connue avant votre mariage. Mais il n'a pas rompu avec elle. Il la revoit. Il lui donne de l'argent. Il a besoin de lui donner de l'argent pour qu'elle consente à coucher avec lui. A présent, elle est malade. Il l'a démolie. Peut-être même lui a-t-il fait un enfant !

Elle balançait la tête, comme pour refuser cette dernière insulte.

— Tu ne t'y attendais pas, sans doute. Moi, depuis longtemps, je le soupçonnais de mener une double existence. Toutefois, j'avoue avoir été suffoqué par ces révélations. On voudrait pouvoir douter. Mais j'ai vu, j'ai vu...

Une rage ardente le consumait. Il s'acharnait sur cette femme rendue. Et les blessures qu'il lui portait retentissaient profondément en lui. Il se sentait misérable et triomphant. Il ne pouvait plus s'arrêter. Il redoutait le silence qui, tout à coup, retomberait sur eux :

— J'ai les noms. J'ai les dates...

Il tira un carnet de sa poche. Elisabeth leva une main pour l'interrompre.

— Si, si... je tiens à ce que tu saches... Elle s'appelle Marcelle Audipiat. Elle habite 40, rue Championnet. Si tu veux, nous irons la voir, la questionner. Tu pourras contempler ta rivale heureuse, apprendre de sa bouche même ta déchéance, moyennant un pourboire un peu gras. Partons. Prenons un taxi...

Il insistait, convaincu qu'elle refuserait de le suivre :

— Viens, viens donc ! comme ça, du moins, tu te seras assurée de ma sincérité. Tu auras acheté une certitude...

— Je l'ai déjà, soupira-t-elle.

Il se tut un instant, le souffle court, exténué, ravi. Puis, il s'assit à côté d'elle et capta dans ses paumes les mains glacées de la jeune femme.

— Tu souffres, dit-il. Et je m'en sens responsable.

Mais je sais que, plus tard, tu me remercieras. Cet homme ne t'aimait pas, ne t'a jamais aimée. A peine marié, il a renoué cette liaison qui le juge. Il a choisi femelle dans son monde. Elisabeth, ma chérie, je désirerais te consoler, te crier : « Ce n'est pas vrai, retourne chez lui, reprenez votre vie commune... » Mais je n'en ai pas le droit. Que comptes-tu faire à présent ?

Elle regardait le mur, droit devant elle, muette, crispée. Il souhaitait qu'une crise de larmes la dénouât, la jetât vaincue, molle, haletante, contre sa poitrine. Il répéta :

— Que comptes-tu faire ?

— Je ne sais pas, dit-elle.

— Te sentirais-tu capable de lui pardonner ?

— Non.

Il eut un soupir de soulagement.

— Envisagerais-tu le divorce ?

— Je n'envisage rien. Je veux qu'on me laisse...

Elle se dressa et sa pâleur était telle qu'il la crut sur le point de s'évanouir. Lui-même était épuisé, malade d'angoisse, de dégoût, de charité soudaine. Il la vit, comme du fond d'un rêve, s'éloigner dans le bruissement caoutchouté de l'imperméable.

Elle arrivait à la porte, lorsqu'il la rattrapa, lui saisit le coude :

— Tu ne vas pas rentrer chez toi pour déjeuner. Reste avec nous. Remets-toi. Réfléchis...

Elle éleva jusqu'à son front sa main entr'ouverte, où

un mouchoir était roulé en boule comme un caillou blanc. Ses narines étaient pincées. Tout à coup, elle ferma les yeux et fléchit la tête :

— Mais pourquoi ? Pourquoi ? gémit-elle.

VII

On ouvrit la chambre condamnée, on remonta le lit de la cave, on débarrassa le grand placard des vêtements d'été qu'on y entreposait depuis le mariage. Dans le cabinet de toilette particulier, reparurent le peignoir beige d'Elisabeth, son verre à dents, sa boîte à poudre, son jeu de brosses dures. Le déjeuner fut fixé à midi et demi « à cause du bureau ».

Mme Fonsèque s'affairait autour de la jeune femme comme autour d'une convalescente, l'assommait de soupirs, l'accablait de questions :

— Je ne comprends pas ce qui t'a pris de rompre !

— Nous nous sommes disputés, affirmait Elisabeth.

— Eh bien ! réconciliez-vous ! S'il fallait se séparer à la moindre pique, il n'y aurait plus de ménages possibles !... Veux-tu que je m'entremette ?

— Non.

— Jusqu'à quand comptes-tu vivre à la maison ?

— Jusqu'au jour où j'aurai pris une décision !

— Tu n'as tout de même pas l'intention de divorcer ?

— Je l'ignore...

A plusieurs reprises, Tellier vint chez les Fonsèque pour essayer de revoir sa femme. Chaque fois, Elisabeth refusait de quitter sa chambre. Mme Fonsèque recevait son gendre dans le salon. Et, devant cet être effondré, vieilli, aux yeux rouges, à la voix enrouée, elle ne pouvait contenir sa pitié. Le malheureux implorait une aide, protestait de son innocence.

— Que lui avez-vous donc fait ? s'exclamait la brave dame.

— C'est à elle de vous le dire, puisqu'elle ne me croit pas.

Il la priait de lui transmettre d'interminables messages et d'insister auprès d'elle pour qu'elle les lût. Puis, il prenait congé avec des mines de pauvre, demandait la permission de revenir, remerciait avec trop d'empressement, se mouchait, gagnait à regret la porte.

Mme Fonsèque sortait de ces entretiens larmoyante et furieuse. Elle se précipitait chez sa fille :

— Quels que soient ses torts, je suis sûre que ce n'est pas un méchant homme. Voici une lettre qu'il m'a remise pour toi.

Elisabeth déchirait les feuillets sans même en prendre

connaissance. Plus tard, elle interdit à sa mère d'accepter les commissions de Tellier. Mais la bonne dame n'osa pas signifier cet arrêt à son gendre, et résolut de conserver les enveloppes dans un coffret. Aux amis, elle expliquait, à contrecœur, qu'Elisabeth était venue habiter chez elle pendant les « déplacements » de son mari. Luce et Paul Aucoc reçurent la consigne de ne pas interroger la jeune femme et d'éviter les allusions à cette brouille stupide : les visites du couple s'espacèrent.

Au reste, Mme Fonsèque elle-même se lassa bientôt de questionner sa fille. Elle la regardait vivre près d'elle, maigrie, pâlie, impénétrable. Elle comprenait que sa tendresse ne pouvait rien pour cette enfant pétrifiée de souffrance et d'orgueil; et son impuissance à la soulager la rendait malade. Elle dormait peu et se réveillait avec des douleurs à la nuque et des bourdonnements d'oreilles. Elle perdait l'appétit. La vue, l'odeur d'un plat de viande lui étaient insupportables. Un soir, elle eut des étouffements, s'évanouit au pied de son lit et personne n'en sut rien. Elle se retrouva couchée, toute vêtue, sur la carpette. Sa tête était sonore comme après un coup. Elle grelottait. Elle eut peur et pensa convoquer un médecin. Mais, le lendemain, elle se sentait mieux.

Lorsqu'il était seul avec elle, Gérard lui reprochait son attitude contristée.

— On dirait qu'il te déplaît d'avoir recueilli ta fille !

Pour lui, il exultait d'une joie active. Il avait déjà consulté un avocat, en cachette, afin de se renseigner sur les motifs de divorce et « le prix qu'il fallait y mettre ».

Pourtant, il n'osait pas encore aborder cette question avec Elisabeth. Il devait, en premier lieu, la guérir, la purger de son passé de femme. Il se bornait donc à l'envelopper d'une prévenance encombrante. Il l'accompagnait au bureau et venait la chercher après son travail, pour que Tellier n'eût pas la tentation de l'accoster dans la rue. Il lui achetait des fleurs. Il lui proposait de la conduire au cinéma, au théâtre. La plupart du temps, elle refusait de sortir. Une fois, cependant, il avait entraîné toute la famille à la projection d'un film dont les journaux lui avaient vanté les mérite. Il s'agissait d'une histoire sentimentale et niaise, truffée de baisers-ventouses, de ruptures sous des becs de gaz, et de berceaux mousseux de dentelle comme des choux à la crème. Lorsque la lumière était revenue, il avait cru voir Elisabeth se tamponner furtivement les yeux. Il n'insista plus pour l'emmener au spectacle. Il préférait les veillées familiales, où il pouvait se repaître de sa présence comme d'une nourriture. Des heures durant, elle appartenait à son attention, à sa faim dévorante. Par moments, il lui semblait inconcevable de la tenir à portée de regard, sans que le visage de son mari vînt rôder en arrière-plan comme un poisson absurde. Et quelquefois, en revanche, il avait l'impression qu'elle n'avait jamais quitté la maison, et qu'elle était encore cette jeune fille intelligente et desséchée dont il s'épuisait à vaincre le secret. Elle se levait, elle se rasseyait, prenait ou posait son tricot. Et ses moindres gestes étaient accrochés au passage par cet œil rapide et goulu d'avare. Ah ! il ne regrettait pas les interrogatoires, les courses, les mensonges ! Il les eût recommencés chaque jour pour la conserver dans sa niche, à la merci de son affection !

« Je suis heureux comme un idiot, » notait-il dans son journal intime. Il était tellement à son aise dans cette situation fausse qu'il reprit des couleurs et engraissa un peu.

Il avait oublié son échec auprès de Lequesne. Il plaisantait Marie-Claude pour se maintenir en forme. Même, un soir, il lut à la famille réunie des extraits de son étude sur le Mal, et fut ravi de constater que personne n'y comprenait rien.

*

Marie-Claude n'arrivait pas à dormir. Assise dans son lit, le cou tendu, les yeux ouverts sur la nuit familière de la pièce, elle réfléchissait à sa joie. Elle n'avait pas revu Vigneral depuis le jour où il l'avait embrassée. Trois semaines d'inquiétude et d'humiliation s'étaient écoulées sans qu'il lui donnât signe de vie. Et voici que, ce soir même, il était venu la chercher à la sortie de son cours. Il s'était excusé, alléguant une grippe, les affaires. Il paraissait nerveux, fâché, fautif. Il la suppliait de le croire. Et elle l'avait cru, simplement parce qu'elle le retrouvait.

Il était cinq heures et demie. Il faisait sombre. Le jeune homme l'avait entraînée dans les Tuileries désertes et engourdies de brouillard. L'air sentait le gravier humide. Des flaques d'encre grelottaient au pied des statues. Ils s'étaient assis sur un banc mouillé, glacé. Et, tout de suite, il l'avait serrée dans ses bras. Son haleine sortait en vapeur pâle de ses lèvres. Des gouttelettes brillaient sur ses cheveux blonds.

Elle s'imaginait éprouver encore le poids de ce visage froid contre son visage, le contact assoiffé de cette bouche luttant avec sa bouche, la forçant, la pénétrant, la fouillant d'un baiser profond, et puis allant se perdre, essoufflée et tendre, au long de sa joue, au creux de son cou, sur ses mains dégantées et mortes. Des gens les dépassaient, se retournaient, mais Vigneral ne relâchait pas son étreinte. Il lui tenait des discours étranges :

— Il faut me croire, ma petite Marie-Claude. Je ne suis pas plus salaud qu'un autre. Gérard a dû vous raconter notre sortie, vous parler d'une femme...

— Non...

Elle ne comprenait pas ce qu'il voulait dire. Elle se laissait bercer par cette voix enrouée d'émotion et de mâle douceur, et c'était tout à coup très simple, très naturel, d'être blottie contre l'épaule de ce garçon, dans un jardin public où chacun pouvait les surprendre. Lorsqu'il bougeait, elle entendait le froissement du portefeuille dans la poche intérieure de son veston. Elle devinait qu'elle avait le bout du nez humide et n'en avait pas honte. De nouveau, il s'était penché sur elle, et, sagement, elle avait ouvert la bouche pour qu'il l'embrassât.

A présent, au plus fort de l'ombre, une exaltation fébrile lui défendait le repos. Elle frissonnait de la tête aux pieds. Ses mains étaient moites. Ses jambes écartées collaient aux draps. Et, sur ses lèvres meurtries, elle croyait savourer un parfum d'haleine et de gel.

— Je l'aime, je suis fière, je suis heureuse, répétait-elle à mi-voix.

Et vraiment, elle divaguait de bonheur. Mais il était cruel de n'en pouvoir parler à personne. Elle alluma la lampe, tira de la table de chevet un calepin à fermoir et, sur la page du jour, inscrivit mystérieusement un petit cercle hérissé de rayons. Toute sa vie, elle se rappellerait le sens caché de ce dessin.

Elle se leva et se mit à marcher en rond dans la chambre, vêtue de sa seule chemise de nuit, et se regardant au passage dans la glace fatiguée de l'armoire. Elle se trouvait belle soudain et regrettait que Vigneral ne fût pas là pour l'admirer. Que faisait-il en ce moment ? Dormait-il ? Pensait-il à leur rendez-vous ? Elle ne le reverrait pas avant deux jours. Elle soupira, remonta une épaulette qui glissait, plongea dans ses cheveux sa petite main tiède. Demain, elle épinglerait au-dessus de son lit cette photo de l'acteur Fred Colmar qui ressemblait à Vigneral. Il veillerait ainsi sur son repos sans que nul ne se doutât de rien. C'était délicieusement émouvant !

Mais comme il faisait chaud dans cette pièce ! Elle ferma le radiateur, s'éventa un instant avec un cahier et décida brusquement d'aller boire un verre d'eau à la cuisine.

Dans le couloir, elle s'aperçut que la porte d'Elisabeth était entrebâillée. Peut-être sa sœur ne dormait-elle pas ? Elle eût tellement souhaité pouvoir bavarder avec quelqu'un avant de regagner son lit ! Elle poussa le battant. La chambre était obscure. Un souffle égal soulevait à peine le silence. D'une voix prudente, elle demanda :

— Tu dors, Elisabeth ?

— Non. Que veux-tu ?

Elle tressaillit de joie :

— Rien... J'allais à la cuisine pour boire un verre d'eau. Je peux entrer ?

— Retourne te coucher plutôt.

— Je n'ai pas sommeil.

Elle pénétra dans la pièce, et, d'autorité, alluma la lampe.

Toutefois, devant le visage calme d'Elisabeth, elle ne sut plus que dire. Elle se prit à s'étirer, à se frotter les yeux par contenance. Elle eût aimé parler de Vigneral, prononcer son nom, évoquer son souvenir. Elle chercha une formule qui le mît en cause sans risquer de trahir leur secret et, dans une décision qui l'affola, le regard dérobé, le cœur rapide, elle dit :

— Sais-tu qui j'ai rencontré aujourd'hui ?

— Non.

— Vigneral ! Que penses-tu de lui ?

— C'est pour me demander ce que je pense de Vigneral que tu te lèves à minuit ?

Le sang sauta aux oreilles de Marie-Claude. Elle balbutia :

— Mais non. Je dis ça parce que je viens de le voir. Alors, ton avis ?

Elisabeth haussa les épaules :

— C'est un brave garçon, assez coureur et pas très intelligent.

— Je ne suis pas du tout d'accord avec toi ! s'écria Marie-Claude.

Elle était indignée et regrettait déjà d'avoir abordé ce sujet avec une personne incapable de la comprendre. Elle poursuivit avec feu :

— Vigneral n'est pas coureur. Simplement, il fait attention aux femmes et ça se remarque !

— C'est le « ça se remarque » que je lui reproche.

— Il n'est pas bête. Il a une autre forme d'esprit que Gérard, voilà tout ! Tu ne vois plus que par ses yeux, maintenant !

— Ma pauvre petite !

Elisabeth la regardait tristement.

Il y eut un silence que Marie-Claude mit à profit pour gagner la porte. Elle ne voulait plus qu'on lui gâchât son plaisir. Les gens étaient méchants, aveugles. Leur parler de sa chance, c'était déjà la perdre à moitié. Elle allait franchir le seuil, lorsque Elisabeth l'arrêta :

— Tu ne m'as pas dit où tu l'avais rencontré ?

Elle se retourna dans un mouvement de fierté rageuse :

— Il est venu me chercher au cours !

Elle attendit les interjections, les questions, la stupeur flatteuse de sa sœur. Elle avait le sentiment curieux d'avoir commis une gaffe *indispensable*.

— Il est complètement fou ? dit Elisabeth d'un air paisible qui exaspéra la jeune fille.

— Je ne vois pas pourquoi ?

— Que te voulait-il ?

— On se le demande !

— Il t'a bien dit quelque chose pour expliquer sa présence ?

— Oui.

— Eh bien ! répète-le.

— Admettons que ce soit un secret entre lui et moi.

Elle souriait, hautaine, avantageuse, dans sa chemise de nuit.

— Viens près de moi, Marie-Claude. Donne-moi les mains. Il n'a pas essayé de te faire la cour, j'imagine ?

— Si.

— Il a prétendu qu'il t'aimait ?

— Oui.

— Et tu l'as cru ?

— Oui.

— Mais c'est absurde, ma chérie ! Il s'est moqué de toi !

— Qu'en sais-tu ?

— Il a une liaison. Il s'accroche à toutes les femmes dès qu'il espère pouvoir coucher avec elles. Les petites jeunes filles comme toi ne l'intéressent guère. Du moins, je me refuse à l'admettre !

— Ce n'est pas vrai ! Ce n'est pas vrai ! s'exclama Marie-Claude.

Elle était devenue très pâle et ses yeux étincelaient de fureur dans sa figure d'enfant.

— Il ne faut pas accepter de le revoir, reprit Elisabeth. Promets-moi de lui dire...

— Je ne promettrai rien. Je ne lui dirai rien. Je le reverrai aussi souvent qu'il me plaira... Il m'aime. Et moi aussi, je l'aime... Tu ne peux pas te rendre compte... Tu t'amuses à me faire du mal... Je n'aurais pas dû t'en parler... J'étais tellement heureuse, avant !...

Son menton se mit à trembler, les coins de ses lèvres s'abaissèrent, mais elle ne pleurait pas. Elle murmura :

— Fais-moi une place !

Elle s'installa sur le bord du lit, près de sa sœur, et la jeune femme lui entoura les épaules de son bras nu.

— Il est si gentil, si beau, si fort ! Tu ne le connais pas ! Si tu le connaissais, tu l'aimerais comme je l'aime...

— Allons ! allons ! disait Elisabeth, je n'ai pas voulu te faire de peine. Remets-toi...

Elle sentait contre son épaule ce petit corps grêle qui respirait difficilement. De la tête inclinée, elle ne voyait que les cheveux d'un châtain léger. Une patte vive, brûlante, attrapa sa main sur les couvertures.

— Aujourd'hui, nous sommes allés aux Tuileries... Nous nous sommes assis sur un banc...

Tout à coup, elle s'arrêta :

— Je voudrais que tu éteignes, Elisabeth.

— Pourquoi ?

— Je ne sais pas... On sera mieux.

Elisabeth tourna le commutateur et, dans l'obscurité, la voix pressée continua son récit.

Mais, tandis que Marie-Claude parlait, une tristesse infinie attaquait sa sœur et l'éloignait d'elle. L'exubérance de cette passion la confondait, comme une injure à sa nouvelle solitude. Elle avait connu tout cela, cette fièvre, cette fierté, cette tendresse obsédée. Elle avait perdu tout cela. C'était son propre passé de joie qu'une autre lui jetait à la face. Qu'elle se sentait donc pauvre et inutile soudain devant cette gamine rayonnante !

Marie-Claude se tut. Alors seulement, Elisabeth s'aperçut qu'elle ne l'avait pas écoutée. Il fallait la gronder, la conseiller peut-être. Elle n'en avait pas le courage. Elle renversa la tête et regarda, dans l'ombre, cette tâche pâle qui était le visage de Marie-Claude et dont les yeux brillaient d'un éclat d'eau nocturne. Elle toucha du doigt les joues glissantes, le cou, les lèvres de l'enfant. Et, brusquement, une secousse affreuse la parcourut. Elle était trop malheureuse. Elle ne pouvait plus tenir. Elle allait crier. Des sanglots montaient comme un vomissement à sa bouche. Elle chuchota :

— Va-t'en... Va dormir, ma petite Marie-Claude.

— Je t'ennuie ?

— Mais non.

— Tu n'es pas fâchée ?

— Un peu fatiguée... Laisse-moi...

— Tu ne répèteras rien à Gérard, ni à maman ?...

— Quoi ?... Non... non... mais va vite...

Un baiser hâtif effleura le front d'Elisabeth et elle entendit le bruit de deux pieds nus sur le parquet.

Lorsqu'elle fut seule, elle coucha sa figure dans l'oreiller et attendit farouchement les larmes.

*

Le lendemain, Elisabeth quittait l'appartement des Fonsèque pour retourner vivre chez son mari. Deux semaines plus tard, le ménage partait pour Metz où Joseph Tellier avait obtenu un poste d'avenir dans une filiale de la maison Aucoc. Cette fuite imprévue ébranla fortement Gérard. Ce fut avec mille détours que sa mère lui proposa de s'occuper un peu du magasin. Il refusa net. Et Mme Fonsèque vendit son fonds de commerce.

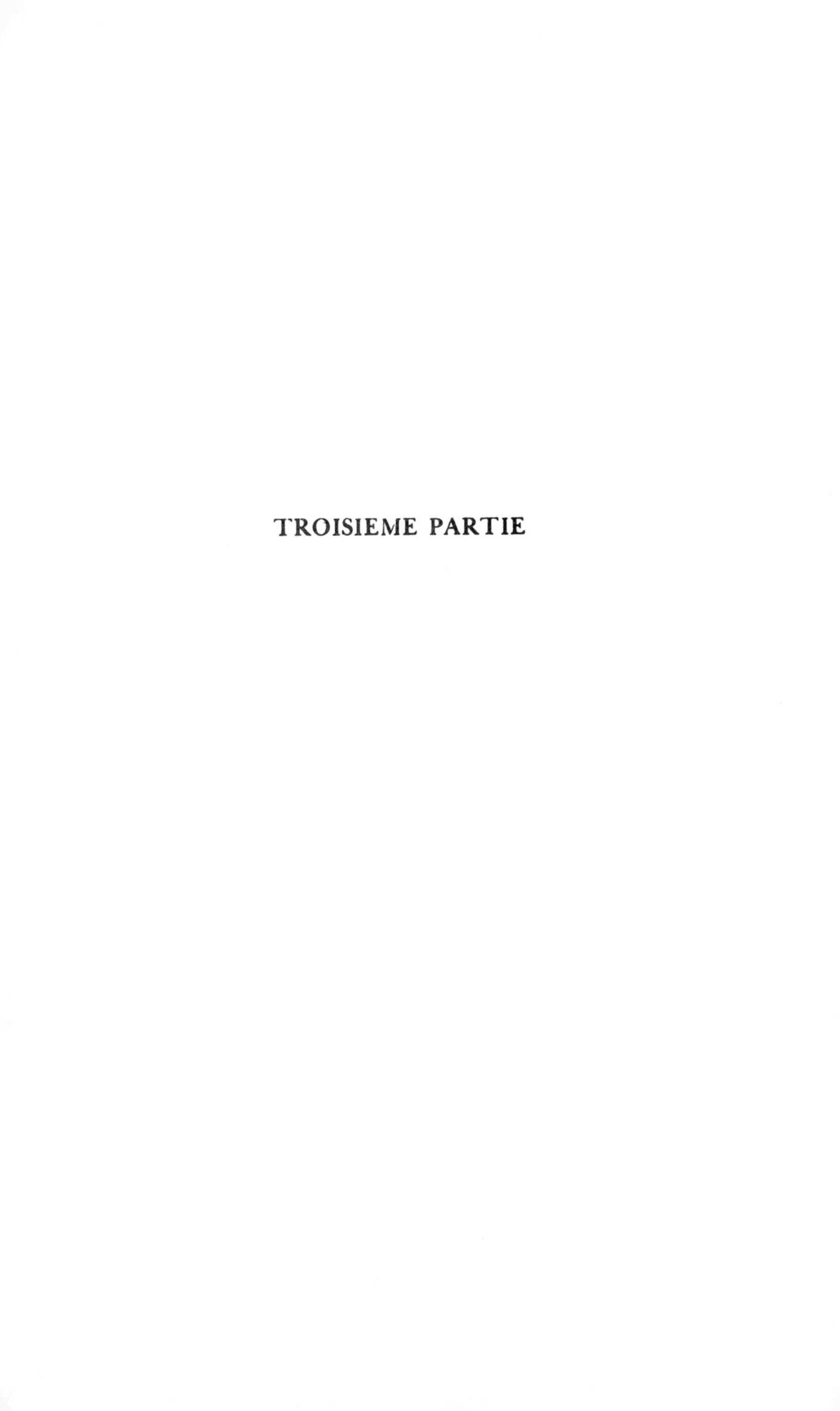

TROISIEME PARTIE

I

Après quelques mois de répit, les malaises de Mme Fonsèque reparurent. Des trous de sommeil l'engloutissaient en plein jour et, la nuit, elle ne pouvait dormir à cause de ses crampes. Elle demeurait assise dans son lit à se masser les mollets sous la couverture. Elle se retenait d'appeler. Parfois aussi, le bout de ses doigts s'engourdissait et, lorsqu'elle portait la main à sa joue, elle éprouvait un froid étrange et maladroit de viande morte. Elle maigrissait. Elle voyait trouble. Un matin, Gérard entra dans sa chambre après le petit déjeuner, et l'aperçut au fond de son Voltaire, la robe dégrafée, les cheveux défaits, une cuvette sur les genoux. Elle vomissait du sang. Elle leva vers lui une face blafarde aux lèvres bouillies, baveuses, aux gros yeux tendres qui ne comprenaient pas. Elle soufflait doucement. Elle essaya de sourire. Un docteur, mandé en hâte, examina sa langue grise, racornie, fit une prise de sang, parla d'urémie, ordonna des injections de sérum glucosé et pratiqua une saignée qui la soulagea un peu. Mais Gérard devinait que tout était fini. Ce fut en somnambule qu'il traversa les semaines suivantes.

La maison s'était transformée en campement. Luce y couchait parfois, et s'affairait, dès les premières heures du jour, maquillée, parfumée, désolée, inutile, et vêtue d'une blouse blanche à initiales. Paul Aucoc faisait des visites correctes, les gants à la main, le faux col funéraire, la voix grave. Marie-Claude s'enfermait dans sa chambre pour mieux pleurer. Quant à Elisabeth, Mme Fonsèque n'avait pas voulu qu'on dérangeât sa fille aînée « pour une indisposition qui ne serait rien peut-être ». Elle poussait le scrupule jusqu'à se faire lire les bulletins de santé qu'on expédiait quotidiennement à Metz.

Cependant, les soins prescrits par le docteur étaient devancés par le mal. Par moments, on croyait qu'elle ne respirait plus. Mais, au bout de quelques secondes, la poitrine se soulevait et s'affaissait, de plus en plus fort, de plus en plus vite. La malade mangeait l'air à grosses bouchées. Et, de nouveau le souffle baissait, jusqu'à sembler imperceptible. Des ulcères apparurent à ses gencives. La température tomba au-dessous de la normale. Le pouls se ralentit.

Le ménage Tellier, prévenu par télégramme, arriva quelques heures avant le décès. Gérard s'aperçut avec stupeur qu'Elisabeth portait des vêtements lâches pour dissimuler son ventre. Elle était enceinte de sept mois. En d'autres circonstances, il eût été pénétré de dégoût à cette seule pensée. Mais, à travers son désarroi actuel, on eût dit que plus rien ne pouvait l'atteindre.

Mme Fonsèque mourut dans le coma. Ce fut Joseph Tellier qui se chargea des formalités d'usage. Il discutait de classe d'enterrement, de concessions de sépulture, d'impressions de faire-part, agissait en maître, disposait en maître d'une dépouille qui ne lui était rien. Mais Gérard n'avait plus le courage d'intervenir. Il ne voulait pas que la moindre démarche le détournât de son chagrin. Dans la maison bouleversée, il était comme un enfant, incapable d'aider, de comprendre, de conseiller personne. On ne lui demandait pas son avis. On l'informait à peine des résolutions adoptées.

Après la mise en bière, il se faufila secrètement dans la chambre de Mme Fonsèque. Il regarda ce décor rangé, glacé, préparé pour le vide. Un souvenir affreux le secoua : « Il y a toujours des traces de sang dans la pièce où un mort a passé sa dernière nuit ! » Il s'enfuit dans le couloir, et là, comme jadis, il ferma les yeux sur l'image du canapé de cuir brun, tapi, telle une bête repue, contre le mur, où un tableau était accroché de travers.

On pendit des draps noirs à la porte de la maison. Le vestibule disparut sous des montagnes de bouquets, et Gérard retrouva dans l'appartement ce parfum de fleurs pressées qui lui rappelait le mariage de ses sœurs. Les cierges sentaient fort. Les flambeaux d'argent brillaient dur dans l'ombre.

Après un office interminable, le corps fut transporté en fourgon jusqu'au cimetière. Il pleuvait par rafales. Dans la fosse, des flaques d'eau jaune se formaient lentement. Gérard, grelottant, regardait ses trois sœurs massées autour du trou de glaise, comme des corbeaux au-dessus de leur nid. Elles se tamponnaient les yeux avec des mouchoirs blancs sous leurs voiles de deuil rabattus. Le ventre d'Elisabeth tendait l'étoffe noire de sa robe. Et cette enflure grotesque où se fabriquait la vie jurait sinistrement avec la tranchée ouverte à leurs pieds. Gérard ne pouvait plus détacher les yeux de cette grosseur respirante, de cette poche immonde, de ce fardeau abhorré, qui gonflait Elisabeth et la rendait semblable à une cuillère. On n'aurait pas dû la laisser venir.

Le cercueil descendit lentement et la pluie coulait le long de ses arêtes et sur ses poignées de cuivre. Il y eut un coup de vent, et les trois sœurs portèrent la main à leur jupe noire qui se retroussait sur le rose pâle des lingeries. Un sanglot monta de leur groupe. Elles pleuraient et, d'un geste galant, collaient leur robe soulevée contre leurs cuisses.

Maintenant, la grande boîte vernie touchait le fond, et les cordes l'abandonnaient qui la reliaient encore à des mains humaines. Entre les murs de terre, une caisse de bois était couchée face à l'averse. Les premières pelletées sonnèrent sur le couvercle, comme sur une peau de tambour. Le maître de cérémonies, rasé de frais, ténébreux et gras comme un oiseau de charnier, surveillait les travaux. Dans quelques secondes, tout serait fini. Gérard évoqua le regard de sa mère, affectueux, sensible, inquiet, et on lui jetait des mottes de glaise au visage, et elle ouvrait la bouche pour protester, et les mottes lui comblaient la bouche, et des câbles glissaient le long de ses membres las. Il se pencha sur le trou, au risque de basculer. La tête lui tournait. Il voulut crier, appeler, se débattre. Un bras ferme l'écarta, le soutint aux épaules. Le maître de cérémonies sentait le bonbon à la menthe.

Gérard comprit qu'on l'emmenait, qu'on l'asseyait sur un banc. Devant lui, s'alignaient de vieilles tombes grises, hérissées de croix de fer et souillées de pauvres bouquets. Il frissonnait. Il avait la gorge douloureuse. A ses pieds, il remarqua quelques perles de verre mêlées au gravier humide. Un sifflet de train déchira le silence. Comme il était seul tout à coup ! Il se rappelait les félicités disparues, les gestes, les attitudes, les phrases de sa mère et, soudain, comme sa fosse à lui, s'entrebâillait un avenir glacé, où il faudrait vivre sans elle. Il imaginait les pièces désertes, le silence accru, l'isolement des journées futures...

D'énormes nuages roulaient au ciel, qui semblaient mâcher des éclairs. Des pas se rapprochaient. Tellier marchait en tête, et son visage respirait le travail bien fait. Il s'épongeait le front avec un mouchoir grand comme une serviette. Derrière lui, Elisabeth se dandinait telle une volaille trop nourrie. Elle avait relevé son voile sur une figure fatiguée par le chagrin et par la grossesse. Luce la suivait, au bras de son mari. Elle reniflait en sourdine. Il lui tapotait la main d'un air grave. Cette nuit même, il la consolerait. Plus loin, venaient Marie-Claude, Vigneral, les parents Aucoc, les amis, dans un piétinement de soupe populaire. Ils s'immobilisèrent devant lui. « Se sentait-il mieux ? Voulait-il boire un remontant ? »

Des taxis se chargèrent de ramener toute la famille à domicile. Dans l'auto, Tellier décrotta ses chaussures avec un bout de bois. Luce retira son chapeau qui lui serrait les tempes.

Il fallut s'arrêter en route pour acheter de quoi manger dans une charcuterie.

II

Le silence de l'appartement oppressait Gérard, au point qu'il n'osait bouger la tête sur l'oreiller. Ce n'était pas une absence de bruit. C'était la respiration du vide, comme si, autour de sa chambre, les parquets, les murailles se fussent effondrés et qu'il fût demeuré seul, perché dans le néant, ainsi qu'au sommet d'une cheminée. Puis, une rumeur vague de vaisselle, une voix d'enfant, reconstruisaient pièce par pièce la maison détruite. Mais tout cela venait de si loin, de si haut, de si bas, que c'était encore du silence. Ce silence touffu, énorme, indifférent, il lui semblait qu'il le transporterait toujours avec lui, telle une marge imperméable aux approches humaines.

Il ferma les yeux et la nuit rouge de ses paupières l'effraya doucement. La fièvre était tombée, bien sûr. Mais ses douleurs articulaires ne lui permettaient pas de se lever. Il avait pris froid à l'enterrement et, dès le lendemain, une souffrance brutale lui nouait le genou, le coude. Suivant les conseils d'un pharmacien, Marie-Claude lui avait d'abord acheté des granules de colchicine contre la goutte. Mais le docteur, appelé peu après, avait diagnostiqué un rhumatisme aigu et ordonné un traitement spécial, le repos allongé, la diète. Sur la table de nuit, un flacon de salicylate avait remplacé le flacon de colchicine à peine entamé. Gérard avalait une pilule par heure, avec dégoût. Il suait au moindre mouvement. Ses oreilles étaient sourdes, bouchées. Tout travail lui était fastidieux.

Le ménage Tellier lui avait rendu visite avant de repartir pour Metz. Joseph marquait une sympathie exaspérante envers son beau-frère. Sans doute Elisabeth lui avait-elle laissé ignorer que Gérard avait été le seul instigateur de leur rupture. Elle était revenue à cet homme sans explication. Elle avait rejoint sa tanière parce qu'elle était enceinte. Et maintenant, elle reprenait auprès de son mari l'habitude morne dont elle avait failli s'évader. Rien ne pouvait plus l'atteindre. Cette mort même, elle n'en souffrait pas autant que son frère. Elle avait à portée de la main, de la bouche, un remède infect à sa tristesse. Et Luce aussi. Et Marie-Claude, peut-être. Du moins espérait-elle que l'avenir lui réservait quelque merveilleuse rencontre. Mais lui n'avait rien, n'aurait jamais rien pour le détourner de sa peine. Le seul être qui ne l'eût pas quitté pour un autre venait de mourir.

A certains moments, il suffoquait d'affection sous le flot de souvenirs qui lui revenaient de sa mère. Et parfois, en revanche, il croyait ne plus rien sentir et s'alarmait de cette abominable vacance. Alors, il réfléchissait au cercueil de chêne verni qui descendait entre les parois de glaise, s'éloignant de lui, s'enfonçant, disparaissant, aspergé de terre et de pluie. Et une secousse de tendre horreur le prenait des talons à la nuque.

Le silence lui faisait peur, et la solitude. Où donc était Marie-Claude ? Il était six heures déjà. Et son cours finissait à quatre heures, le mercredi. Hier, il s'était traîné, au prix d'atroces douleurs, jusqu'à la chambre de la jeune fille, pour recopier l'emploi du temps épinglé au mur. Il pouvait la suivre, à présent, au long de ses journées. Mais que tient-on d'un être lorsqu'on possède son horaire ? A travers cette trame de chiffres, l'essence intime de Marie-Claude lui échappait. Il ne savait rien d'elle au-delà de ce qu'elle livrait à chacun. Aimait-elle ? Peut-être pas. Cependant, un jour viendrait où il lui faudrait envisager ce désastre. Car elle y passerait comme les autres ! Mais, cette fois, l'enjeu était trop grave pour qu'il acceptât de la laisser filer. Il la garderait, quelles que dussent être ses raisons. Il avait cru naguère travailler pour le bien de ses sœurs. Allons donc ! Le temps était révolu de ces feintes sentimentales. C'était son propre bonheur qu'il défendait, comme il eût défendu sa peau. Il avait besoin d'elles. Il ne pouvait exister sans elles. Cette maison, jadis pleine de voix hautes, de robes fines, de longues chevelures, allait-elle devenir une coque sonore d'où la vie se retirerait comme un flot ? Son enfance choyée entre ces visages féminins, ces mains légères, allait-elle s'achever dans l'isolement et l'ennui ? Ah ! la volupté de sentir qu'aucune influence ne combat la vôtre au cœur d'un être cher, qu'aucune image ne devance la vôtre, qu'il est, à la lettre, *occupé* par vous ! Marie-Claude disait souvent : « J'ai pensé à ce que tu m'as expliqué hier soir... » Ou encore : « Le cours d'aujourd'hui t'aurait amusé !... » Ces pauvres phrases lui prouvaient qu'elle réfléchissait à lui hors de sa présence, qu'elle ramenait à lui tous les événements, qu'elle vivait pour lui. Que pouvait-il désirer de plus ? Lorsqu'elle entrait dans sa chambre, il lui était agréable de la voir toucher ses vêtements posés sur la chaise, les livres, les papiers qui lui appartenaient. Ce geste négligent avait alors une signification de tendresse infinie qui le comblait d'aise. Il aimait Marie-Claude avec une fureur nouvelle, parce que, de ses trois sœurs, elle était la seule qui lui demeurât. Son attention, jadis gaspillée sur trois têtes, revenait à la jeune fille et se bornait à elle. Les autres ne l'intéressaient plus. Luce avait accueilli le départ de Lequesne avec une indifférence à peine jouée. Elisabeth avait lâchement rejoint son mari. Il avait eu tort de miser sur elles.

De nouveau, il regarda sa montre. Six heures et demie. Il s'efforça de dominer ses inquiétudes. La femme de ménage fit claquer une porte pour annoncer son arrivée. Ils avaient congédié la bonne; ils songeaient même à quitter l'appartement, pour « vivre sur un plus petit pied », comme disait autrefois Mme Fonsèque.

Il tourna la tête vers la fenêtre. La pluie coulait, grasse et lente sur les carreaux. La pièce était obscure. Il fallait allumer, essayer de lire. Il alluma. Il prit un livre sur la table de nuit. Une tache d'encre souillait le bord du drap rabattu.

Marie-Claude ne rentra qu'à sept heures. Aussitôt, il l'appela dans sa chambre. Elle vint, le chapeau à la main, les joues animées de froid. Au-dessus de ce corps tué par les vêtements noirs, le visage demeurait étrangement jeune, bien portant.

— Tu arrives tard aujourd'hui !

— Je suis allée à la bibliothèque des Arts Décoratifs, avec Totote Rouchez. Comment te sens-tu ?

Elle s'approcha de lui, retapa ses oreillers. Elle ne disait rien, mais il flairait sur elle il ne savait quelle satisfaction intime qui l'irritait. Que se passait-il dans ce monde clos de chair et de pensée ? De quel humble mystère se nourrissait l'existence de cette enfant ?

Il demanda :

— Et demain, à quelle heure te verrai-je ?

— Pas avant sept heures.

Il tressaillit :

— Pourquoi ?

Elle avait promis à Totote Rouchez de l'accompagner à la Bibliothèque Sainte-Geneviève. Il lui était difficile de se décommander.

Tout cela était vraisemblable, mais la crainte du mensonge empoisonnait Gérard. Elle mentait. Il le devinait à son regard coulé vers la droite, un peu au-dessus du lit, à l'intonation soignée de sa voix, à sa façon de tenir les mains devant elle, légèrement dépliées dans l'air, et comme posées sur les cordes invisibles d'une harpe. Mille détails créaient autour d'elle une atmosphère fausse où juraient les mots et les gestes de chaque jour. Mais, à peine avait-il accepté ces doutes, qu'un retour de lucidité les écartait de lui. Il s'appliquait à jouer en face de la jeune fille la comédie de la résignation souriante et sublime.

— Tu as raison, disait-il d'une voix immolée, promène-toi, vois des amies, feuillette des ouvrages d'art, distrais-toi le mieux que tu pourras. Ne t'occupe pas de ton frère. C'est tellement fastidieux un malade !...

Marie-Claude affirmait que seuls ses cours et la préparation de son examen l'empêchaient de lui tenir compagnie aussi longtemps qu'elle l'eût souhaité.

— C'est ce que je te reproche. Tu songes encore trop à moi. Je t'assure que je peux très bien me passer de ta présence. Je reste avec le souvenir de maman. Quelques livres. Du papier. Une plume... Il faut que je m'habitue à la solitude totale !

— Il n'est pas question de solitude totale !...

— Actuellement non... mais plus tard ! Rappelle-toi ce que disait maman : « Les enfants ne sont pas faits pour nous. » C'est avec joie que tu me laisseras pour suivre l'homme que tu auras choisi.

Elle rougit brusquement et s'éloigna de Gérard :

— Que veux-tu dire ?

— Rien qui doive t'offenser. Je parlais de ton mariage.

— Même si je me marie un jour, je continuerai à te voir...

Il sourit d'un air maniaque et secoua la tête :

— Ce ne sera plus la même chose. Je serai l'invité, peut-être le trouble-fête...

Elle roulait nerveusement un mouchoir entre ses paumes parallèles :

— Tu es absurde, absurde ! Et je ne comprends pas le sens de cette conversation !...

Il lui saisit les poignets, l'attira, l'assit au bord du lit et poursuivit de tout près, sur un ton de tendre violence :

— Tu es trop bonne. Tu te sacrifies sans compter à ceux qui, comme moi, ont besoin de ton affection. Il faut être plus égoïste...

Il l'observait et la sentait palpitante, torturée, honteuse sous ce regard qui la dominait. Elle balbutia :

— Ecoute, demain soir, j'essayerai de rentrer aussitôt après le cours... Je m'arrangerai avec Totote...

L'ARAIGNE

Il lui flattait la nuque de sa main suante :

— Tu feras comme tu voudras, ma chérie. Je ne veux pas te forcer. Va t'arranger, maintenant. Nous dînerons dans ma chambre.

III

Plusieurs fois par semaine, Vigneral venait chercher Marie-Claude à la sortie de son cours. Elle s'échappait la première de la salle, où une foule compacte, pépiante et parfumée se repoudrait et s'ébrouait entre les bancs. Vigneral l'entraînait le long des quais brumeux, et ils regardaient dans l'eau noire et calme les reflets des becs de gaz, plantés comme des pieux de lumière. Ils traversaient le pont des Arts, rejoignaient, au fond d'une ruelle vouée aux marchands d'estampes et aux libraires spécialisés, une maison de thé qui était leur habituel refuge. Les tables étaient séparées par des sortes de bat-flanc recouverts de velours, et, lorsque la serveuse était près de la caisse, on pouvait s'embrasser sans trop risquer d'être vus.

Parfois, Marie-Claude renonçait à quelque conférence ennuyeuse, et ils passaient l'après-midi dans un cinéma de quartier. Ils demandaient une loge grillée à deux places. Au-dessous d'eux, la salle était presque vide. Quelques têtes accolées rompaient seules le vallonnement régulier des fauteuils. La musique jouait doucement. Une lumière diffuse et changeante venait de l'écran (ils redoutaient les scènes de plein air et les projections d'articles de journaux et de lettres anonymes, parce qu'alors l'éclairage devenait plus intense). La loge sentait le berlingot, la poussière, l'ozone. La lampe de poche de l'ouvreuse se balançait entre les rangées de sièges comme un hublot. On entendait des chuchotements, des bruits de chaises écartées dans la loge voisine. Marie-Claude retirait son chapeau, dégrafait son manteau, et s'abandonnait aux bras de Vigneral. Il l'enlaçait avec une fureur appâtée. Il traînait sur elle des mains savantes qui avaient tôt fait de déboutonner la robe sur le côté, de descendre l'épaulette de la combinaison, de prendre un sein à pleine paume, et de le tenir et de le réchauffer et de le caresser tendrement, jusqu'à ce que la jeune fille en gémît de plaisir. Elle avait peur de lui, à ces moments-là, parce que, dans la pénombre, elle lui voyait un visage à la bouche béante et aux yeux fixes, méchants, malheureux, comme si elle l'eût fait souffrir dans le même temps qu'elle se livrait à lui. Mais soudain, il lui souriait et l'attirait au creux de son épaule. Et il la berçait comme une petite fille, en lui parlant à l'oreille. Elle ramenait une main sous sa joue, pour ne pas laisser de poudre au revers du veston. Un orchestre invisible jouait des airs fluides et sensuels. Des lèvres d'encre se rejoignaient sur l'écran. Marie-Claude s'emplissait le cœur d'un enivrement mélodieux. Le monde entier lui semblait parvenir à la pointe de la perfection. Elle murmurait :

« Je t'aime... Je t'aime », pour le plaisir friand de le tutoyer. Puis, tout à coup, Vigneral la reprenait contre lui, et des doigts glissaient sur son ventre, sur ses cuisses, cherchaient hâtivement la peau nue. Elle devenait folle. Sa tête ballait d'une épaule à l'autre. Son sac tombait par terre.

Ils sortaient avant la fin du grand film. Elle se remaquillait devant la glace du hall encadrée de photos d'acteurs. Des plaques roses marbraient sa figure. Ses yeux étaient petits et tristes. Vigneral avait les pointes de son faux-col retroussées. Sa lèvre un peu bouffie lui donnait un air de mauvais garçon. Dans sa guérite, la caissière bâillait à plein râtelier. La pluie s'égouttait, lente, derrière les rampes de néon. Marie-Claude se rappelait subitement qu'elle n'aurait pas dû aller au spectacle à cause de son deuil, que Gérard l'attendait seul à la maison, qu'elle était une jeune fille...

Elle rentrait chez elle, énervée et mélancolique. Son frère l'interrogeait aussitôt : « D'où venait-elle ? A quelle heure finissait le cours ? » Il fallait mentir. Et tandis qu'elle se justifiait, elle sentait sur son visage, sur ses mains, sur sa robe, ce regard tranquille et froid de rapace. Elle craignait qu'il ne remarquât une traînée de rouge à lèvre sur son menton ou la collerette froissée... Il lui semblait que son amour rayonnait autour d'elle et la signalait comme une auréole. Au vrai, elle avait honte, confusément, de sa joie, en face de cet être solitaire et malade. Elle se reprochait de l'avoir délaissé tout un après-midi. Et la douceur stoïque avec laquelle Gérard acceptait son isolement attirait encore les scrupules de la jeune fille. Il l'encourageait à se distraire, à l'oublier, à dominer son deuil. Il évoquait l'avenir probable qui l'attendait loin d'elle, ce désert sans affection, cette mort debout... Mais il lui suffisait de la savoir heureuse. « J'arrive déjà à me passer de toi toute une journée, disait-il d'un air de bienheureux sacrifice. » Et Marie-Claude, à ces mots, se retenait de pleurer. Elle s'accusait d'égoïsme. Elle s'ordonnait de dures pénitences : renoncer à Vigneral pendant deux semaines, un mois.

Ainsi corrigée, elle vivait auprès de son frère quelques heures de dévouement magnifique. Mais, dès le lendemain, elle se laissait filer à la dérive. Vigneral la voyait surgir, épuisée, troublée par l'insomnie. Elle lui avouait ses débats, et il la consolait avec des phrases tellement simples qu'elle s'étonnait d'en être touchée.

De toutes les femmes que Vigneral avait connues, aucune n'avait su lui donner cette impression d'abandon rassuré, de soumission parfaite. Toujours il avait lutté, rusé avec ses maîtresses. Mais la faiblesse totale de cette gamine commandait la protection. Il lui prenait des envies de l'embrasser jusqu'au sang et de la dorloter ensuite comme un grand frère.

Leurs entrevues hâtives dans les cinémas, dans les cafés, leurs baisers acharnés et monotones, leurs caresses incomplètes achevaient d'exaspérer son désir. Souvent, il rêvait d'une chambre close, avec un grand lit, ouvert dans l'ombre, et Marie-Claude jetée sur les couvertures, nue, gracile, enfantine, offerte à lui, jusqu'à l'étanchement de cette soif énorme qui le consumait. Mais la confiance même que la jeune fille avait en lui interdisait à Vigneral de réaliser son projet. Il se disait parfois qu'il valait mieux l'épouser. Cependant, l'épouvantail de l'union légitime abolissait aussitôt cette velléité. Il avait rompu avec son ancienne amie. Il pestait contre l'absurde délicatesse qui le retenait encore de coucher avec Marie-Claude. Il s'exhortait à ne plus la revoir. Il s'indignait lorsqu'elle décommandait un de leurs rendez-vous. Il s'appliquait à ne pas l'aimer. Il était jaloux de l'affection qu'elle portait à son frère. Il vendait moins que jamais de papier carbone. Il négligeait ses relations. Un jour, il résolut de lui demander sa main.

Pour l'occasion, il emprunta la garçonnière d'un de ses camarades. Marie-Claude l'accompagna docilement dans cette pièce encombrée de meubles modernes, au vernis attaqué, aux arêtes vieillies. Des taches pelées et pâles souillaient le velours havane du canapé. Sur la cheminée, traînaient des photos de femmes. Dans un vide-poche, il y avait des *mosser* à champagne. L'air sentait fort la brillantine liquide et le tabac.

Vigneral repassait en esprit la formule qu'il avait imaginée pour proposer le mariage à la jeune fille. Mais il ne se décidait pas à parler. C'était la première fois qu'il se trouvait seul avec elle dans une chambre abritée et confortable. La tentation était trop forte. « Je l'épouserai *après,* » songeait-il.

Elle avait posé sur une tablette du « cosy » deux cahiers à reliure noire. Et ce détail scolaire le charma. Il s'avança vers elle, l'attira sur le canapé où ils roulèrent ensemble. Elle se laissait déshabiller, inerte, grelottante. Elle ne protestait pas. Il évitait de regarder son visage où les prunelles vertes paraissaient figées de honte et de plaisir.

Lorsqu'elle fut entièrement nue, il but d'une lampée l'image de ce corps un peu maigre et enduit d'une gourmande blondeur de miel. Une jambe était allongée, l'autre pliée, et le genou haut. Ses bras minces, tournés en dehors, découvraient le bleu vulnérable de la saignée. Les seins bien écartés, petits, ronds et denses offraient à leur sommet des pointes minuscules et mauves de gamine. Les côtes tendaient la peau à chaque aspiration. Le ventre fade était marqué d'une toison couleur de châtaigne brûlée.

Comme Vigneral se penchait sur la jeune fille, il s'aperçut que les ongles de ses pieds étaient passés au carmin. Cette remarque leva inexplicablement son dernier scrupule.

IV

La table avait été dressée contre le lit de Gérard, pour que le frère et la sœur pussent déjeuner face à face. Gérard était assis dans ses couvertures, les épaules enveloppées d'un vieux plaid à franges. Une barbe charbonneuse enfonçait la peau de ses joues, et ses cheveux noirs, brouillés, lui descendaient dans le cou et lui cernaient les oreilles. Devant lui, Marie-Claude, maquillée de frais, mangeait activement une côtelette de mouton roussie. Elle était pressée. Totote Rouchez l'attendait chez elle à deux heures et demie.

Irrité de cette hâte à le fuir, et pressentant le mensonge, Gérard s'ingéniait à mastiquer le plus longuement possible l'écœurante bouillie de légumes dont se composait son ordinaire de malade. Marie-Claude avait reposé son couteau, sa fourchette, et regardait l'heure à son poignet.

— Tu t'énerves, dit Gérard d'une voix suave. Je mange si lentement ! Mais le docteur m'a recommandé de bien mâcher ma nourriture. Et puis, j'ai moins de scrupule à te mettre en retard puisque tu n'as pas de cours aujourd'hui. Totote se fera une raison... J'aimerais d'ailleurs bien la connaître, cette Totote...

Il avança la main vers la bouteille de « Vichy », se versa un verre d'eau et but, à courtes gorgées, sans lâcher Marie-Claude des yeux.

Quelques endives restaient au fond de l'assiette. Mais il ne les mangeait pas. Il n'en finissait plus de se tapoter la bouche avec sa serviette roulée en tampon. Il soupirait, se caressait les paupières. Marie-Claude songeait à Vigneral qui, bien sûr, l'attendait déjà à la sortie du métro. Cependant, elle n'osait pas quitter Gérard avant qu'il eût achevé son repas. Tout à coup, il dit :

— Je reprendrai encore quelques endives.

Une brusque rage crispa la jeune fille, mais elle regrettait déjà son impatience. Il se servait posément, et sans s'interrompre de parler :

— L'appétit me revient un peu... T'ai-je dit que Tellier m'a écrit un mot ? L'accouchement est pour dans quinze jours, paraît-il... Bâtie comme elle est, Elisabeth le supportera parfaitement... Tu ne veux pas de laitue ?

— Il y a de l'ail dedans.

— Eh bien ?

La veille même, il avait spécialement insisté auprès de

la femme de ménage pour qu'elle en assaisonnât la salade. Il comptait sur cette expérience pour démasquer la jeune fille.

— Totote n'aime pas l'ail ? dit-il, par manière de plaisanterie.

Marie-Claude prit la mouche, rougit, haussa les épaules. Comme elle se défendait mal ! Peut-être eût-il suffi de quelques phrases menaçantes pour lui faire tout avouer. Mais cette méthode brutale avait échoué auprès de ses autres sœurs. Il était plus sage de ruser, d'agir en sous-main, d'envenimer une à une les sources de ce jeune amour. Il fallait la retenir non par la force, mais par la pitié. Ah ! oui, il consentait à être pitoyable pourvu qu'elle demeurât près de lui ! Au fond de chaque femme sommeille l'envie d'être mortifiée et de se dévouer. C'était ce prurit fiévreux des sacrifices, cet amour des bûchers sacrés, cette ferveur déviée et un peu sale de l'infirmière qu'il importait d'exploiter chez Marie-Claude.

Il aurait tôt fait de lui tourner la tête dans l'atmosphère de renoncement glorieux où il la conviait à le suivre. Il jouerait de toutes ses plaies avec l'impudence délibérée d'un mendiant. Il obtiendrait, il accepterait sans honte l'aumône de sa compassion. Il triompherait d'elle, parce qu'il serait sa victime. Mais quelle souffrance ne lui faudrait-il pas endurer avant de la reprendre ? N'était-il pas cruel de la voir assise à cette table, parfumée, pomponnée, pour un autre ?

Elle s'impatientait. Elle craignait de le faire attendre, cet étranger, qui se promenait, en lorgnant sa montre, dans la rue.

— Tu ne veux pas de dessert ? dit-il.

— Non... Je n'ai pas faim...

Il la regardait, debout, prête à s'échapper, allumée, éclairée déjà par son amour. Elle avait embelli depuis quelque temps, sans qu'il pût déceler le moindre changement dans son visage. De quels pauvres aliments se nourrissait donc la grâce d'une figure féminine ? A quelles misérables satisfactions Marie-Claude puisait-elle son éclat d'un jour ? Il dit méchamment :

— Ces vêtements de deuil ne t'avantagent pas, ma petite. Et puis, tu as peut-être envie d'aller au spectacle, de t'amuser. C'est assez délicat dans cet uniforme...

Elle ne répondit rien, affairée soudain à plier, à rouler sa serviette.

— Va-t'en ! Je vois que tu es pressée de me quitter. Et tu as bien raison. Je ne suis pas un compagnon très agréable depuis la mort de maman. Il me semble que la moindre satisfaction prendrait pour moi la valeur d'un sacrilège. Mais tu ne peux pas comprendre cela. Et j'en suis bien aise pour toi. Je te veux calme, heureuse, détachée de tout, détachée de moi...

Ses propres paroles l'émouvaient jusqu'aux larmes et il voyait la face de Marie-Claude pâlir et se détourner de lui. Tout à coup, elle eut une sorte de hoquet, saisit son sac sur la chaise et s'enfuit dans le corridor. Il appela :

— Marie-Claude ! Marie-Claude !

Déjà, la porte d'entrée retombait sur elle.

La femme de ménage enleva la table, balaya les miettes sur le parquet, et regagna la cuisine. Gérard avala une pilule de salicylate. Il ne pouvait toujours pas plier les jambes. Mais sa douleur à l'épaule avait disparu. Peut-être arriverait-il à sortir dans deux ou trois semaines. Alors, il filerait Marie-Claude, il surprendrait le couple, il saurait où porter ses coups.

Elle venait de partir, et voici que toute la maison se glaçait dans un sommeil hostile. Au fond de cette chambre tapissée de livres et noyée de chiche lumière, il ne se sentait plus en sûreté. Loin de lui, Marie-Claude traversait en courant la rue, rejoignait un homme, se pendait à son bras, s'accolait à son flanc, justifiait son retard à petites phrases essoufflées :

— Mon frère m'a retenue. Je ne veux pas qu'il sache...

N'osant imaginer la suite, il retournait au passé pour calmer son épuisante jalousie. Comme ces vieilles femmes qu'il avait vues dans la rue Saint-Antoine, se baissant, ramassant les pavés de bois, de même il se baissait, ramassait des souvenirs par poignées pour se réchauffer à leur flamme. L'image lui revenait de Marie-Claude dans son enfance, alors qu'il n'avait pas à surveiller les entraînements de son cœur. Et il rêvait à cet organisme complexe de la femme, à cet éveil progressif du désir en elle, à ce mûrissement sournois de leurs entrailles et de leurs formes. Une gamine végète au plus touffu de la famille, innocente, ignorée, épargnée de tout et de tous, mais il suffit que ses traits s'allongent, que sa taille se hausse, que s'enfle un peu son corsage, et déjà les hommes s'occupent d'elle, rôdent autour d'elle, reconnaissent en elle une bête à leur goût, l'appellent dans leur enclos, la pourchassent, l'atteignent... Ah ! cette phrase perfide : « Quel âge a-t-elle donc maintenant ? Seize ans ? Elle en paraît dix-neuf !... » Tout est permis. Et elle-même s'en montre ravie. Elle est folle de batailler, de se donner, de souffrir. Le premier qui l'accoste est le bienvenu. C'est de propos arrêté qu'elle refuse de le voir dans sa laideur et dans son mensonge. Elle veut aimer, vite, n'importe qui, pour n'importe quoi, mais que ce soit de toutes ses forces. Le monde est grotesque, puant, méchant jusqu'à la nausée. N'est-il pas affreux de penser qu'après une longue visite d'un ami, d'une maîtresse, il faut tout de même ouvrir la fenêtre parce que la chambre sent mauvais ? Mais nul ne le remarque et n'en souffre. Il y a chez les hommes, chez les femmes, une immonde complaisance pour ce qu'ils ne peuvent éviter. Les odeurs, les besoins physiques, les maladies, ne tuent pas le sentiment. On ferme les yeux. L'expression est commode. Tout le monde fermait les yeux, autour de lui. Il avait l'impression, parfois, qu'on ne l'avait pas endormi pour subir l'interminable opération de la vie. Une anesthésie soigneuse émoussait les douleurs des autres. Lui seul était éveillé, lucide, les chairs et l'esprit à vif. Le moindre attouchement le faisait hurler. Oui, ce qui lui manquait pour accepter l'existence, c'était ce narcotique précieux dont ses « semblables » étaient saouls comme des brutes. Et ce narcotique était l'amour. L'amour seul pouvait provoquer leur soumission à toutes les hideurs, leur sommeil artificiel au centre du monde.

Il se rappela cette soirée au « Toc-Toc Bar » avec Vigneral et Tina. Contre son corps, il avait tenu un corps de femme remuant, parfumé, habile. Et il n'en avait ressenti que du dégoût. Il fallait se résigner à supporter décuplées, centuplées, les secousses dont les autres connaissaient à peine le passage. Il fallait se résigner à être toujours malheureux.

L'ombre était venue. Il vit avec surprise qu'une petite grêle rangée s'écrasait contre les carreaux. Marie-Claude était légèrement vêtue. Elle aurait froid. Eh bien ! elle tomberait malade et, de la sorte, au moins, elle ne quitterait pas la maison. Il avait tort de s'occuper d'elle ! Est-ce que quelqu'un s'occupait de lui ? Personne. A cette minute précise, personne ne pensait à lui. Il l'éprouvait, cette absence de pensée, comme si le sol se fût brusquement dérobé sous son poids. «Si je mourais tout à coup... » Il évoqua dans un éclair la glaise jaune, giflée de pluie, la tranchée boueuse, où descendait un cercueil aux ridicules ornements de cuivre.

Plus tard, il médita de se traîner jusqu'à la chambre de

Marie-Claude. Peut-être en fouillant ses papiers obtiendrait-il quelque renseignement sur sa vie cachée ? Il sortit du lit ses jambes gourdes, enfila sa robe d'intérieur. Une faiblesse infinie coulait dans ses membres. La tête lui tournait un peu. Jamais il n'aurait le courage de se dresser, de marcher vers la porte de Marie-Claude. Il contemplait tristement ses pieds maigres et blancs dans les pantoufles déformées. Il touchait ses genoux sensibles. Enfin, d'un brusque effort, il se mit debout. La douleur fut si vive qu'il faillit crier et s'appuya de tout son poids au mur. Cependant, il poursuivit son chemin, s'accrochant aux meubles, geignant, soufflant, et il essuyait avec sa manche la sueur qui lui mouillait le front.

Dans la chambre de Marie-Claude, il s'écroula dans un fauteuil, près de la table, et attendit un long moment, les paupières closes, les mains au cœur, comme un acteur qui salue. Peu à peu, les battements de sa poitrine se calmèrent. Il rouvrit les yeux. A respirer le frais parfum de cette pièce, il comprenait que la sienne avait besoin d'être aérée.

Sur le bureau de la jeune fille, il y avait quelques cahiers, un petit chien en peluche, des prospectus de croisières organisées par l'Ecole du Louvre. Il effleura ces objets de la main, comme pour les flatter. Il ne se décidait pas à forcer les tiroirs. Cette porte, entrebâillée dans son dos, le gênait. Il avisa un ticket de métro de première classe déchiré, dans un cendrier à devise. Elle voyageait en seconde, lorsqu'elle était seule. D'un geste sec, il ouvrit le tiroir. Il était bourré de carnets, de gommes, de crayons, de photographies. Aussitôt, il se mit au travail. Ses doigts tremblants soulevaient, écartaient, palpaient les pauvres pièces de ce trésor d'enfant. Il identifiait les écritures des enveloppes, feuilletait les vieux agendas, scrutait les visages des clichés, lisait les cartes de visite. Aucun nom ne lui révélait rien. Cette inspection dérisoire exaspérait son impatience. Il saisit un bloc. Sur la première page, il vit : « Ceci est mon journal. » Les pages suivantes avaient été arrachées.

Il rejeta le tout et voulut ouvrir l'autre tiroir. Mais il était fermé à clef. Gérard prit un coupe-papier, l'introduisit dans le joint, le plus près possible du pène, appuya lentement, et la serrure céda dans un soubresaut. Encore des invitations, des carnets. Il reconnut un mot qu'il avait écrit à sa sœur, lorsqu'elle était partie pour quinze jours en vacances chez une amie, une photo de Mme Fonsèque, des images de première communion. Avec une hâte de voleur, il portait la main sur ces misérables secrets de gamine. Il haletait, il transpirait au point que son pyjama lui collait aux épaules.

Il crut entendre des pas. Mais c'était à l'étage au-dessus. La femme de ménage rangeait la cuisine. Marie-Claude ne rentrerait qu'à sept heures. Il ne savait s'il était heureux ou déçu de ne trouver aucune preuve contre elle. Non, cette recherche infructueuse n'endormirait pas ses soupçons. Elle voyait un homme. Il le savait. Il le sentait. Mais qui ? Un de ses amis ? Lequesne était en Angleterre. Vigneral avait une liaison. Hurault... Il s'agissait plutôt d'un élève de l'Ecole du Louvre, quelque vague étudiant boutonneux et prétentieux, qui l'éblouissait par des phrases apprises dans les livres d'art. C'était pour « ça » qu'elle le plaquait ! C'était avec « ça » qu'elle le trompait !

Il referma le tiroir, en pesant fort sur le coupe-papier, pour que le pène retombât dans la gâche. Il se traîna jusqu'au lit de Marie-Claude, d'où il pouvait ouvrir le placard. Des robes y pendaient : ces robes claires qu'elle ne mettait plus à cause du deuil. Les cintres grêles leur faisaient des épaules de squelette. Plus haut, des rayons tapissés de papier blanc supportaient les piles de linge. Il respira une faible odeur de pommade, de savon; ce parfum qu'un autre humait, en ce moment, auprès d'elle. Sur la cheminée étaient les flacons, le peigne, la brosse de la jeune fille. Casser tout cela, jeter tout cela. En étirant le bras, il atteignit le poudrier. Il ôta le couvercle. Il trempa le doigt dans la poudre, stupidement. Puis, il reposa la boîte à sa place, et se mit à frotter l'une contre l'autre ses paumes enfarinées. Une lassitude et une détresse sans nom l'écrasaient. Il eût souhaité que sa sœur fût laide ou idiote, afin qu'elle pût se consacrer à lui. Mais l'eût-il seulement aimée ?

Il s'affala en travers du lit, la face terrée dans la courtepointe. Que faisait-il ainsi ? Qu'attendait-il ? Ses yeux fixaient de tout près les gros dessins roses de l'étoffe qui recouvrait la couche. Un léger bruit emplissait ses oreilles, comme le grésillement d'une graisse sur le feu. Plus de dix minutes passèrent sans qu'il relevât la tête. Son épaule, son genou lui faisaient mal. Il geignait doucement pour dominer le silence.

Enfin, il regagna sa chambre en longeant les murs. Sur la chaise, près de son chevet, il vit le mouchoir roulé en boule de Marie-Claude. Il se coucha et s'assoupit, le regard tourné vers cette tache blanche.

V

Marie-Claude venait de sortir. Gérard, assis dans un fauteuil, en face de sa table, travaillait à une traduction. Il se sentait mieux depuis quelques jours. Il pouvait se lever, marcher dans l'appartement. La veille même, Luce et Paul Aucoc avaient passé tout l'après-midi avec lui. Le ménage rentrait de Metz, où il avait rendu visite aux Tellier. Elisabeth avait accouché d'un garçon. « Un splendide bambin de sept livres, » disait Luce, en roulant des yeux d'affamée. « Elisabeth est déjà sur pied. Folle de joie, bien sûr ! Et son mari crève d'orgueil au point que c'en est gênant ! Ils l'ont appelé Philippe. Tu ne trouves pas ça un peu triste ? »

Gérard s'étonnait de sa nouvelle indifférence. Le ménage Aucoc ne l'intéressait plus. Luce pouvait se dépenser en intonations musicales, en gestes soyeux de chatte, en vifs glissements de prunelles, son frère avait dépassé l'exaspération innocente dont, jadis, elle faisait les frais. Le sort d'Elisabeth, même, n'éveillait en lui qu'une amertume assez voisine de l'ennui. Ces événements se déroulaient sur une autre planète, entre des gens qui ne lui étaient rien, et dont il n'arriverait jamais à se faire entendre. Sa vie, à lui, était près de Marie-Claude, dans l'ombre, dans la chaleur de Marie-Claude, et il mourrait si quelqu'un s'avisait d'usurper sa place. Il avait besoin de sa présence, comme il avait besoin d'air. Il manquait d'elle, lorsqu'elle n'était pas là, comme il eût manqué d'air. Il l'aurait voulue toute à lui, et elle gaspillait son temps, son affection, ses caresses peut-être, au hasard d'une journée secrète. Elle émergeait d'il ne savait quel trouble océan dont la profondeur grouillait de menaces. Ruisselante encore de mille paroles, de mille gestes étranges, elle se dressait au bord de sa chambre, et il lui fallait la retrouver à travers cette fallacieuse parure. Sur la matière sensible de son visage, dans la musique flexible de sa voix, il poursuivait une révélation toujours interrompue. Quel était-il celui à qui elle consacrait ses plongées mystérieuses de l'après-midi ? De quoi étaient faites leurs rencontres ? Qu'espéraient-ils l'un de l'autre ?

Ah ! si quelqu'un avait pu le distraire de cette contemplation fascinée ! Il lui semblait, par moments, que Lequesne eût été capable de le comprendre. Mais il était sans nouvelles de son ami. Vigneral ne venait plus à la maison. Ni personne. Et, au fond, cela valait mieux ainsi.

Il n'avait plus de goût à rien. Il avait abandonné son essai sur le Mal. Cette traduction, qu'il se hâtait d'achever, serait la dernière. Ensuite, il s'occuperait de chercher une place. La succession de Mme Fonsèque liquidée laisserait peu de chose à chacun de ses quatre enfants. Il louerait un petit appartement avec Marie-Claude. Il habiterait avec elle, aussi longtemps qu'elle le voudrait. Il frissonna, comme au souffle béant d'un abîme. Dans une semaine, il pourrait sortir. Dans une semaine, il pourrait défendre sa chance.

Il se pencha sur le papier où sa plume s'était arrêtée. Il relut la dernière phrase : « Mrs Ploughman déboucha le flacon chinois où elle conservait une décoction de semences de colchique, et, tandis que son mari détournait la tête vers le feu sautillant des bûches... »

Il ratura ce qu'il avait écrit et se renversa dans le fauteuil. « Comme le mari en face du feu, songeait-il. Et quelqu'un derrière mon dos distille goutte à goutte un poison mortel. » Marie-Claude se rendait-elle compte de la torture qu'elle lui infligeait ? Il aurait voulu se détacher un peu de cet être, décoller, prendre de la hauteur, planer, mépriser, sourire, mais un vent furibond le plaquait toujours contre le sol. « Mrs Ploughman déboucha le flacon... »

Par la fenêtre, il voyait le ciel d'un bleu retenu. Les fontaines de la place des Vosges ruisselaient sourdement.

Quand il était enfant, ce bruit le faisait penser à quelque poursuite éperdue à travers les feuillages d'un bois. Un homme emporte sa proie au cœur des fourrés chargés de pluie et d'ombre verte. Et Gérard reconnaît le visage heureux de la femme. Mais le visage de l'homme est mobile comme une eau vive.

Il est cinq heures. Bientôt, les amoureux viendront hanter les arcades de la place. En a-t-il vu de ces couples, tapis à l'ombre des piliers, accrochés l'un à l'autre, immobiles et graves comme des chevaux à l'abreuvoir ! Il y a un cercle d'amour, de baisers, d'étreintes clandestines autour de sa chambre. Il s'en moquait jadis. Il s'en effraye aujourd'hui, parce que Marie-Claude a rejoint cette foule frôleuse et baiseuse du crépuscule. Elle est de leur bord. Et lui-même voudrait presque être semblable aux autres, avoir dans sa chair des faims soudaines, quêter de faciles caresses, s'abîmer, s'étourdir dans la joie primitive de la possession. Vigneral ne souffre pas. Vigneral mange, boit, dort, aime, et la nourriture, la boisson, le sommeil, les femmes, suffisent à calmer ses inquiétudes d'un instant. Il n'accepte une souffrance que dans la mesure où il sait en détenir le remède. Sérénité morale de l'imbécile. Peut-être Lequesne avait-il raison ? Peut-être fallait-il laisser un autre jouer à notre place, mener la partie, gagner ou perdre pour nous. Pas toujours, bien sûr. Mais à certaines heures, lorsqu'il devient trop difficile de lutter seul. Aujourd'hui, maintenant par exemple... Oh ! la douceur de n'être plus enfin qu'une branche docile pliée à la pente du vent, qu'une eau courbée suivant l'épaule de la rive, qu'un caillou de la route poussé au gré des pas !

Gérard approcha de ses joues, de son front brûlant, ses mains nues et attentives comme des visages. Il tremblait à la frontière d'un royaume inconnu. Il avait l'impression d'un changement indéfinissable en lui-même. Il n'était pas très sûr d'être encore éveillé.

Un coup de sonnette le tira de ses pensées.

Ce ne pouvait être Marie-Claude. Et il n'attendait personne. La porte s'était ouverte, refermée, et les pantoufles de la femme de ménage traînaient déjà dans le corridor.

— C'est une dame qui vient pour vous, Monsieur.

— Une dame ?

Il lui fallut quelques secondes de réflexion avant de reconnaître Tina dans cette femme qui se tenait sur le seuil, le sac à main plaqué comme un portillon sur le ventre, la tête fléchie sous un extravagant chapeau de velours noir à garniture de plumes chinées, la face peinte et rehaussée d'une mouche bleue au niveau de l'œil.

Elle avait un peu engraissé. Elle respirait vite et haut.

— Vous ne vous attendiez pas à me voir, dit-elle d'une voix cérémonieuse. Ah ! j'ai bien hésité avant de me décider à venir. C'est tellement délicat, n'est-ce pas ?

Elle s'assit, croisa ses longues jambes et regarda les murs, la fenêtre en plissant légèrement les paupières.

Gérard était sur ses gardes. Cette visite l'inquiétait

parce qu'il n'en devinait pas la raison. Et il n'osait interroger directement la jeune femme. Il demanda cependant :

— Qui vous a donné mon adresse ?

— Personne. Mais j'étais dans le taxi qui vous a ramené chez vous après notre petite bombe. Je me suis souvenue de la maison... Vous en faisiez une drôle de tête ! Pourquoi n'êtes-vous pas retourné au « Toc-Toc » ? On s'était bien amusé tous les trois. On aurait pu recommencer !

Elle lui sourit d'un air de complicité distinguée, et abaissa les yeux sur la pointe de ses souliers aiguisée en museau de brochet. Son parfum vivace emplissait la chambre.

— Vous vous demandez à quelle occasion je vous relance, reprit-elle. Votre ami Vigneral (elle fit sonner ces paroles avec un mépris altier) ne vous a donc rien raconté ?

— Je ne le vois plus guère.

— Eh bien ! nous sommes dans le même cas.

Elle leva un doigt, dont l'ongle rouge était taillé en curette, fronça les deux poils brunâtres qui lui tenaient lieu de sourcils et proclama :

— Tout est fini entre nous. Oh ! sans la moindre scène, sans la plus petite explication. Il n'a même pas trouvé moyen de me prévenir. Un beau jour, il a cessé de me « fréquenter ». La semaine passe. Et puis, je reçois un mot : « Je t'aime, mais il ne faut plus qu'on se rencontre. » Très bien. Seulement, moi, j'ai lâché ma place à cause de lui. Il me disait : « Je gagne assez pour deux avec ce que me donnent mes parents. » Il ne voulait plus que je travaille. Il m'a fait louer une « deux pièces ». Avec quoi je vais la payer ? Si j'avais pu prévoir, je me serais précautionnée. Mais ces choses-là, n'est-ce pas ? c'est comme ce que je pense, on ne sait jamais à quel moment ça vous tombera ! Ah ! monsieur Gérard, si vous pouviez l'influencer à mon avantage ! Je ne lui demande pas de reprendre notre liaison. Ce serait une prétention exorbitée ! Mais il faudrait au moins qu'il me serve de quoi me retourner dans les premières semaines. Il ne veut tout de même pas que je crève de faim pour ses caprices !...

Elle se tapotait le bout du nez avec un mouchoir de tulle vert pâle et léger comme une vapeur.

— Il suffira que je lui parle de vous pour qu'il renonce à m'écouter, dit Gérard. Pourquoi n'allez-vous pas le trouver chez lui ?

— Il ne me recevrait pas !

— Ecrivez-lui.

— Il ne me répondrait pas. Non, il faut, il faut, monsieur Gérard, que vous me rendiez ce service. Je n'ai plus un sou. Je n'ai pas de place. Je suis venue à pied pour économiser un métro. Je vous dis tout ça parce que vous saurez me comprendre. Ce n'est pas comme cette brute qui ne pense qu'à ses appétits ! Vous avez l'air tellement bon, tellement sérieux, tellement honnête ! Vous n'allez pas refuser de m'aider un peu ?...

Elle se mit à renifler, à petits coups, tandis que ses épaules se soulevaient et s'abaissaient en cadence :

— Il m'avait dit que vous aviez un magasin, reprit-elle; peut-être qu'en attendant...

— Nous l'avons vendu !

— Et vous ne voyez rien d'autre ?

— Non... Mais si j'entends parler de quelque chose...

— Ah ! s'exclama-t-elle, ne répétez pas cette phrase ! On la dit toujours à ceux dont on veut se débarrasser. Vous ne voulez pas vous débarrasser de moi, Gérard. Je suis si seule, si malheureuse !...

Elle battait des paupières pour appeler les premières larmes, et, bientôt, une lueur mouillée trembla à la pointe de ses cils. Elle mordillait ses lèvres grassement fardées. Elle se tordait les mains. Un sanglot laborieux l'ébranla :

— Gérard ! Gérard ! gémit-elle.

Et elle ajouta d'une voix rauque :

— Qu'allez-vous penser de moi ?

Gérard était fort ennuyé de la tournure que prenaient les événements. Il ne savait s'il fallait offrir un verre d'eau, de l'argent, ou de bonnes paroles. Il balbutiait :

— Je vous en prie, je vous en prie...

— Ah ! j'ai honte ! soupira la jeune femme.

Et, arrachant son chapeau, elle le jeta sur le lit. Elle secouait sa chevelure noire, luisante et souple comme une étoffe. Elle y piquait ses petites mains dans un geste de désespoir soigneux. Gérard s'approcha d'elle.

— Je vous promets, dit-il, de faire tout ce qui sera en mon pouvoir...

Elle levait au-dessous de lui son beau visage maquillé, aux yeux humides, aux lèvres écartées, comme lorsqu'il dansait avec elle dans la boîte de nuit.

— Oh ! oui ! Oh ! oui ! murmurait-elle d'un air humilié et tendre.

Tout à coup, elle lui saisit le poignet :

— Asseyez-vous près de moi !

Il attira une chaise avec sa main restée libre.

— Ça me fait du bien de vous voir, poursuivait-elle. Je vous avais trouvé sympathique, dès le premier soir. Mais je n'avais pas osé vous le dire comme je l'aurais voulu, à cause de « qui vous savez ». Il était si jaloux ! A présent, je peux me rattraper. Ça vous fait plaisir ?

Un autre se fût dressé, eût embrassé cette femme, eût profité d'elle comme une bête. Elle n'attendait que ça. Elle ne demandait que ça. Elle ne comptait que sur ça pour gagner un peu d'argent, ou obtenir une place. Il se leva.

— Mon cœur bat si vite que je vais étouffer, dit-elle.

Il songeait qu'il eût aimé pouvoir la désirer, comme n'importe qui l'aurait désirée. Pour diverses raisons obscures, il fallait descendre jusqu'à ce fond de boue, jusqu'à cet empire de ruée et de rapt où toutes ses sœurs l'avaient fui. Mais il avait mal à la tête. Sa main devenait moite entre les mains de Tina, et il en avait honte, comme il avait honte de sa face barbue, de son nez huileux et de ce bouton de fièvre écorché sur son front. Tina posa les doigts de Gérard sur sa poitrine.

— Touchez ! Vous sentez mon cœur maintenant ?

Ils restaient l'un devant l'autre dans un silence de guet. Gérard se remémorait des lectures érotiques pour talonner sa convoitise. Il possédait une édition illustrée des *Mémoires* de Casanova. L'une des gravures représentait une femme nue, assise à califourchon sur une chaise, les mains ouvertes sur les seins comme des étoiles de mer, et elle portait un loup noir avec une voilette qui s'arrêtait au-dessous du menton. Aucune ombre velue ne soulignait la pente potelée du sexe.

Tina se mit debout contre lui. Il reçut sur son corps ce corps épais, attentif à la moindre invite. Elle l'étreignait des deux bras. Elle lui offrait ses lèvres. Il se sentait glacé et ridicule. Il avait envie de pleurer. Et, soudain, lui sauta au cœur l'image de ce quartier de bœuf qu'un garçon déchargeait, rue Saint-Antoine, en face d'une boucherie. Le bloc de viande pâle s'affalait contre l'homme, se plaquait contre l'homme, comme une femme amoureuse et obèse. Il ferma les yeux, dégoûté, stupide. Une langue vive caressa la sienne. Il avait l'impression de manger un mets répugnant. Il voulait s'écarter, cracher cette masse caoutchoutée qui lui emplissait la bouche. Des ronds de feu éclataient dans son cerveau. Il voyait tout près de lui la chair d'un visage étranger, aux pores las, aux cils massifs, aux yeux d'honnête ouvrière. Il respirait malgré lui une odeur chaude et truffée de brune. Elle faisait de son mieux. Elle s'étonnait de ne rien éveiller dans ce corps chétif appuyé contre le sien. Elle geignait consciencieusement :

— Ah ! ah !

Il se souvint de Marie-Claude, lorsqu'on lui avait badigeonné la gorge au cours de son angine.

— Viens ! cria-t-elle.

Et elle se laissa tomber sur le lit, la jupe retroussée jusqu'aux genoux.

Gérard évoqua trois formes noires dans le cimetière, et un coup de vent ignoble soulevait leur robe au-dessus de la fosse. Il ne voulait plus penser à ses sœurs, mais une obsession grotesque interposait leur groupe entre cette femme et lui. Pour se ressaisir, il murmurait bêtement :

...dans le simple appareil...
D'une beauté qu'on vient d'arracher au sommeil...

— Aide-moi à dégrafer par derrière, dit Tina.

Elle descendit hâtivement sa robe jusqu'aux hanches. Elle fit glisser les brides de sa combinaison. Gérard regardait avec stupeur ces deux seins blafards, ronds et niais. Les pointes en étaient brunes et chiffonnées en boulette. Il remarqua un grain de beauté piqué d'un long poil près du mamelon droit. « Vigneral a caressé cette chair que je contemple, songeait-il. Il a été heureux le jour où elle s'est donnée à lui. N'importe qui serait heureux à ma place... » Elle lui tendit les bras. Elle lui prit à nouveau la bouche. Et, dans ce baiser, il retrouvait une odeur de tabac et de mangeaille. Il frissonnait de peur, d'écœurement. Il croyait basculer du haut d'une tour dans le vide. Il se retenait de crier.

Elle psalmodia soudain :

— Ne t'énerve pas... ça va venir...

Il se rappela aussitôt cette chambre de maison close, où une femme, grasse et blanche, l'encourageait à mi-voix.

— Laissez-moi ! Fichez-moi-le-camp ! hurla-t-il.

Des hoquets le secouaient, comme après une crise de larmes. Elle se rajustait, livide, étonnée :

— Quoi ? Qu'est-ce qui te prend ?

Il avait porté les mains devant son visage. Une honte infinie le submergeait. Il bafouillait d'un ton morne :

— Allez-vous-en !... Allez-vous-en !...

Elle se dressa. Ses prunelles brillaient. Ses mâchoires étaient serrées :

— Tu me mets à la porte ?

— Oui... oui, partez !

— Salaud ! Petit salaud ! Tu es de mèche avec ton copain, sans doute. Tu veux qu'il me plaque pour épouser ta sœur. Et moi, bonne gourde, qui venais te demander... Ah ! je comprends, maintenant ! Je comprends !...

— Que voulez-vous dire ?

— Tu ne le sais peut-être pas, couleuvre ? Ça fait des

mois qu'il tourne autour d'elle ! Lorsqu'il m'a lâchée, il m'a dit que c'était pour elle ! Seulement, si tu comptes sur lui pour endosser la petite, tu te fais des illusions !

Gérard était frappé de stupeur. Tout ce qu'il y avait de pensée dans sa tête s'échappait d'un seul bond. Le sol tremblait sous ses pieds. Le plafond l'écrasait. Sa poitrine haletait à se rompre. Il saisit Tina aux épaules avec une vigueur extraordinaire, l'attira près de lui, lui cria en pleine face, comme s'il eût craché :

— Vous mentez ! Vous mentez !

Elle se dégagea d'une secousse et se mit à rire :

— Ah ! non ! ça ne prend plus, mon coco ! Tu vas me laisser partir !

— Restez... Expliquez-moi...

— Rester ? Ça te fatiguerait trop, Don Juan !

Elle s'était approchée de la porte. D'un mouchoir léger elle essuyait ses mains :

— Tu sues, dit-elle. On en a plein les doigts. Tu es laid. Tu sens mauvais de la bouche. Tu ne peux plaire à personne. Et tu es impuissant comme une flanelle, par-dessus le marché ! Au fond, je ne t'en veux pas, je te plains.

Il ne bougeait pas. Il ne l'écoutait pas. Elle quitta la chambre sans qu'il s'en aperçût.

Lorsque Marie-Claude revint à la maison, elle trouva

L'ARAIGNE

Gérard occupé à lire un indicateur de chemins de fer.

— Je me sens mieux, dit-il d'une voix brève. Je compte partir avec toi demain soir, pour passer quelques jours chez Elisabeth.

Par-dessus les feuilles du livre, il guettait l'expression affolée de la jeune fille.

VI

Le berceau occupait le centre de la pièce. Emergeant d'un amas de couvertures roses et de dentelles, Gérard aperçut une boule de viande échaudée, ratatinée, au nez mou comme un lobe d'oreille et aux lèvres baveuses. Marie-Claude, aussitôt, battit des mains, s'exclama, se pencha sur le bébé pour le dévorer des yeux et lui grimacer des sourires. Elle estima qu'il ressemblait à Elisabeth. Elisabeth affirma qu'il était le portrait de son mari : « J'ai une photo de Joseph à cet âge-là. C'est frappant ! »

Elle avait pâli, maigri, mais une douceur nouvelle éclairait son regard et les traits mêmes de son visage s'étaient tendrement relâchés.

Gérard contemplait ce ventre délivré, vidé de son fardeau et prêt à en accepter un autre. Il évoquait l'accouchement, sa sœur écartelée, ensanglantée, offrant son corps nu aux maîns prestes de la sage-femme, se laissant arracher à longs cris ce petit monstre chauve dont la face paraissait faite de doigts superposés. Et ces images de torture sordide lui soulevaient le cœur.

Il s'assit dans un fauteuil, près de la porte. Le trajet en train l'avait fatigué. Son voyage était une imprudence, puisque au début de la semaine encore le médecin lui interdisait de sortir. Mais il était urgent d'éloigner Marie-Claude de Vigneral. Cette première séparation, que suivrait celle des grandes vacances, apaiserait peut-être leurs sentiments et permettrait à Vigneral d'entreprendre une autre conquête. Au reste, Marie-Claude avait passivement accueilli l'idée d'accompagner son frère. Devinait-elle qu'il était au courant ? Soupçonnait-elle le sens exact de ce départ ?

— Comment trouvez-vous l'héritier, Gérard ?

Tellier lui tapait sur l'épaule.

— Les hommes ne peuvent pas les apprécier à cet âge-là, dit Elisabeth.

— Pardon ! Pardon ! protestait Tellier.

— Mais toi, ce n'est pas la même chose : tu es le père.

Il se rengorgeait, prétendait que, de toutes façons, du point de vue « psychologique » l'apparition des instincts chez « ces petits êtres » était passionnante, qu'un marmot, quelques jours après sa naissance, était un spectacle d'une « certaine beauté morale », et qu'en général « il y avait là matière à réflexions ».

Elisabeth l'interrompit parce qu'il fallait baigner l'enfant. Toute la famille passa dans le cabinet de toilette. Elisabeth enfila une blouse blanche, déplia une table à rebords de toile cirée et se mit en devoir de démailloter le bébé, qui vagissait, s'étranglait, crachait de transparents filets de salive.

Lorsqu'il fut nu, toutes les têtes se rapprochèrent pour examiner ce rouleau de chair rose, au ventre ballonné et au nombril saillant. Il hurlait toujours et tendait vers la lumière ses mains écarquillées comme de petits crabes.

Elisabeth le souleva et le maintint au-dessus d'une bassine pleine d'eau. Elle le lavait avec des gestes vifs et cohérents, pendant que Marie-Claude s'écriait que c'était « fou ce qu'il était mignon ! » et que Tellier annonçait : « Ce garnement ne se rend pas compte de l'honneur que lui font les grandes personnes en assistant à sa toilette. » Lorsqu'il fut essuyé, bouchonné, Elisabeth le saupoudra de talc au-dessous des bras et sur les fesses. Elle écartait d'un doigt ces jambes boudinées, secouait la boîte de « minéraline » au-dessus de ces cuisses, de ce sexe fade et menu comme une friandise.

Gérard luttait contre la répulsion qui montait en lui. Cette nudité en réduction, exhibée aux yeux de tous, lui semblait incongrue. Il était impossible qu'elle ne fît rêver un peu salement les deux sœurs; Marie-Claude surtout, que ce tripotage intime comblait de joie : « Et ces petites mains, et ces petits pieds !... » Elle les effleurait d'un baiser rapide. Elle s'assit à côté d'Elisabeth pour lui voir donner le biberon à « Monsieur Philippe ». L'enfant suçait goulûment la tétine, puis s'arrêtait soudain, et c'était une consternation générale. Tellier demandait s'il avait fait son « rototo » et suggérait de lui pincer légèrement le nez pour l'obliger à ouvrir la bouche. Elisabeth affirmait que le biberon n'était pas assez chaud. Tellier jurait en avoir surveillé la température. A ce moment, un hoquet modeste se faisait entendre, Elisabeth enfonçait la tétine entre les lèvres du gosse, et le niveau du breuvage baissait doucement avec l'inquiétude des spectateurs. Comme il ne restait plus que quelques gouttes au fond de la fiole, la face minuscule se plissa, rougit et la bouche vomit un liquide blanchâtre que Tellier essuya prestement avec son mouchoir :

— Tu es fou ! s'écria Elisabeth, ton mouchoir est peut-être sale...

Gérard, crispé, détournait la tête. Il ne voulait plus voir ces figures hilares de convoitise, de bêtise, inclinées vers le berceau comme vers une auge garnie. L'air qu'il respirait sentait affreusement le bébé, le lait aigre, le talc. Il avait l'impression qu'il ne pourrait plus dîner.

A table, la conversation roula strictement sur la puériculture. Il n'était question que de feuilles de pesée, de tétines perfectionnées, de « petites affaires ».

Elisabeth et Marie-Claude paraissaient surexcitées par ces détails ignobles. Elles parlaient fort. Elles mangeaient beaucoup.

Au dessert, Tellier raconta des anecdotes inconvenantes qui les faisaient pouffer de rire dans leur serviette. Elisabeth regardait son mari avec une affection ménagère et lui prenait la main sur la nappe. Gérard ne reconnaissait plus sa sœur, si réservée, si froide, si intelligente jadis, dans cette femme amollie d'allégresse vulgaire et comme retranchée dans la joie étroite de la maternité. Il s'exaspérait à deviner, derrière les moindres gestes du couple, ce bonheur malpropre des époux, avec ce qu'il supposait de promiscuités, de manies, d'odeurs, de moiteurs acceptées. C'était un univers de linges douteux, de vases souillés, de soins répugnants, qui se révélait à lui, et dont lui seul comprenait toute l'horreur lamentable. Il prétexta la fatigue d'un long voyage pour excuser son mutisme. Et tout le monde le crut parce qu'il n'intéressait personne.

— Nous allons nous coucher très tôt, dit Elisabeth. Je ferai préparer le lit de Gérard dans la salle à manger, lorsqu'on aura débarrassé la table. Quant à toi, Marie-Claude, tu dormiras dans la future chambre du petit !

Ils gardaient donc l'enfant dans leur propre chambre. Ils s'embrassaient, ils faisaient l'amour près de ce berceau. Et, parfois, un vagissement devait interrompre leurs caresses. Il imagina Elisabeth s'arrachant à regret aux bras, aux jambes de l'homme, se levant, suante, excitée, pressée, se penchant sur l'enfant criard : « Ce n'est rien ! » Elle changeait les langes mouillés. Puis, elle retournait à l'autre qui soufflait d'impatience entre les draps.

Gérard fut long à s'assoupir dans cette pièce étrangère. Il regardait la grande table polie, les chaises rangées contre le mur dans une ordonnance de salle d'attente, le buffet ventru et encombré de bibelots en verre filé. Il écoutait les rumeurs confuses de la maison, s'efforçant en vain de déceler des balbutiements et des claquements de pieds nus sur le parquet. Son esprit travaillait avec une rapidité de fièvre.

Le gosse était une barrière de plus entre Elisabeth et son frère. Avec cette naissance, le dernier lien — si ténu déjà — qui les unissait l'un à l'autre venait de se rompre. On peut reprendre une femme à son mari. On ne peut pas la reprendre à son enfant. Il était affreux de songer qu'un sort analogue attendait Marie-Claude, et qu'elle l'espérait, et qu'elle le rêvait d'avance avec toutes sortes de précisions idiotes. En ce moment, sans doute, elle pensait à Vigneral. Elle regrettait de n'être pas sa femme, de n'avoir pas un enfant de lui, qu'elle pût torcher comme Elisabeth torchait son rejeton gélatineux et déplumé.

Gérard ne comprenait pas l'attrait que Marie-Claude trouvait à son camarade. Ce grand gaillard au cou rouge, aux oreilles gonflées de sang, était stupide, fat et sans la moindre volonté. Mais, comme ces chiennes qui flairent sur un visiteur l'odeur d'une bête de leur race, et le suivent et lui font la fête jusqu'à ce qu'il les ait caressées, ainsi la jeune fille humait autour de Vigneral un parfum de liaisons mystérieuses et se laissait prendre à ce charme sans réfléchir plus avant. Lui-même ne niait pas que son succès auprès des femmes tînt à une réputation. « Elles me tombent dessus comme sur un solde après inventaire. Elles m'assomment. Elles me dévorent. Et je ne peux pas me passer d'elles. Solange, par exemple... » A qui racontait-il son flirt avec Marie-Claude ? Car il le racontait sûrement à quelqu'un ! La moitié du plaisir qu'il tirait d'une aventure amoureuse lui venait des récits qu'il en faisait, enrichis de détails scabreux, d'allusions cyniques, de rires grossiers de maquignon. Pourquoi lui avait-il pris Marie-Claude ? Il ne l'aimait pas. Il n'avait pas l'intention de l'épouser, ni de coucher avec elle. Il n'avait pas le droit de traiter la sœur de son ami comme les autres filles. Cette chasse-là était plus cruelle que les autres. C'était une injure à leur camaraderie, une trahison, une turpitude qui appelait la vengeance !

Dressé hors de ses couvertures, Gérard s'étonnait de cette haine, qui n'était plus un sentiment mais une sensation, le gênant, l'étouffant, à la lettre, comme une poigne malfaisante. Il se raisonna. Marie-Claude n'était pas amoureuse de Vigneral. Si elle l'avait été, elle se fût refusée à quitter Paris. Il s'agissait d'un flirt et non d'une passion. Mais, immédiatement, cette idée lui arrivait en riposte : « Flirt ou passion, elle ne pense plus à moi. » C'était cela, et cela seulement, qui le torturait : ce retrait imperceptible de l'affection, de l'admiration, ce reflux d'une onde où il avait vécu, et il ne reste plus qu'un désert de sable, glacé de flaques et semé de coquillages morts.

Une horloge sonna trois coups timides et une autre lui répondit dans le corps de l'immeuble. Gérard allongea la main et toucha ses genoux sous la couverture. Il ne le faisaient presque plus souffrir. Mais il était très faible encore. Son échec auprès de Tina, peut-être en fallait-il justement accuser cette faiblesse. Il relevait de maladie. Il était « sous-alimenté ». Mais à quoi bon se chercher des excuses ? De quelle voix elle avait glapi : « Ça te fatiguerait trop, Don Juan ! » Et ce geste pour dénuder sa poitrine ronde et blanche, avec de forts tétons. Il faisait chaud dans la pièce qui gardait encore une odeur de fin de repas.

Gérard quitta le lit, ouvrit la fenêtre.

Les maisons dormaient de part et d'autre de la chaussée, sous un grand ciel noir où des nuages pâles s'encastraient comme de la bourre.

Un bruit de chariots venait du quartier des casernes : quelque régiment partant pour les manœuvres, sans doute. Le roulement cahoté se rapprochait, tournait le coin de la rue. La tête du détachement apparut. Les chevaux avançaient au pas, mal éveillés, l'encolure basse. Les canons tressautaient dans un cliquetis de lourde ferraille sur les pavés. Le casque des conducteurs et des servants luisait vaguement dans la nuit. En passant devant la fenêtre ouverte, ils levaient le front. Sans doute enviaient-ils cet inconnu tapi dans une chambre confortable et qui les regardait défiler, saouls de sommeil et d'ennui, secoués comme des sacs, promis d'avance à mille travaux absurdes ? S'ils avaient su à quel point lui-même les enviait ! Il était impossible que quelqu'un fût plus malheureux que lui ! Mais personne ne s'en souciait, ne s'en doutait au monde.

Le détachement s'éloignait dans un éclairage médiéval. Un fourgon, marqué d'une lanterne orange, fermait la marche. Un train siffla, car la gare était voisine. Gérard se rappela leur arrivée en taxi. L'auto avait traversé un grand pont de fer. Il avait pu voir sous lui cette large trouée où une chevelure de rails s'éparpillait vers l'horizon. Des feux rouges et verts s'allumaient dans le crépuscule. Des locomotives manœuvraient en vomissant de raides jets de fumée. Ce spectacle évoquait un cerveau humain, avec ses voies brouillées, ses signaux contradictoires, son halètement innombrable. Et, cependant, les idées glissent l'une près de l'autre sans se heurter, obéissent aux aiguillages, filent droit au but et se reposent, et se déchargent, essoufflées. Il ferma les yeux et le vacarme et les lueurs de la station étaient dans sa tête. Des arrivées, des départs, la tristesse déserte des quais. Il lui semblait qu'il ne parviendrait jamais à dormir.

Il se réveilla tard, le matin. Il entendait la voix de Marie-Claude dans la salle de bains toute proche :

Célina... Ma jolie...
Je t'aimerai toute la vie...

L'ARAIGNE

Elle chantait. Elle chantait en se lavant.

*

La semaine qui suivit fut pour Gérard un supplice de tous les instants. Tellier passait la journée au bureau et ne rentrait qu'à sept heures. Mais, en son absence même, Gérard ne pouvait profiter de ses sœurs comme il l'aurait voulu. Elisabeth et Marie-Claude ne quittaient pas l'enfant et ne discutaient que de lui. Elles semblaient s'être liées d'une amitié nouvelle qui exaspérait le jeune homme. En vérité, il était jaloux de leur bonne entente, de leurs rires, de leurs conciliabules interminables à mi-voix. Parfois, lorsqu'il pénétrait dans la pièce, elles s'interrompaient au milieu d'une phrase, et, quand elles reprenaient leur conversation, il s'imaginait qu'elles parlaient d'autre chose. Il se sentait exclu de leur confiance, de leur affection, et il avait peur. Alors il sortait, se promenait dans la ville, et des gens se retournaient sur ce garçon qui marchait à petits pas de vieillard, en s'appuyant sur une canne et en s'arrêtant pour souffler.

Les rues étaient pleines de soldats. Ils envahissaient les terrasses des cafés, les abords des salles de spectacle, les allées de l'Esplanade. Gérard descendait jusqu'au boulevard Poincaré et gagnait le belvédère qui surplombait la Moselle. Il restait là, longtemps, à respirer l'air âcre de la rivière et à contempler les serpents d'ombre

rétractaient et se dilataient sur l'eau.
verte qui se rétractaient et se dilataient sur l'eau.
Le soir tombait. Une haleine fraîche montait du rivage.
Gérard songeait au retour. Il lui semblait qu'il ne pourrait plus supporter la présence de Tellier, d'Elisabeth et de Marie-Claude, réunis autour de la table, dans un bruit de cuillères, dans une odeur de soupe, et discutant encore du bébé. Que faisait-il parmi eux qui se détachaient de lui ? Qu'espérait-il d'eux qui se recroquevillaient sur eux-mêmes ? Il rentrerait seul à Paris. Il convoquerait Vigneral. Il le dissuaderait de poursuivre sa cour auprès de la jeune fille. Et, la question réglée, il rappellerait Marie-Claude, afin de l'avoir toute à lui.

Il rêvait à cette victoire en gravissant les escaliers qui conduisent à l'Esplanade. Le ciel était d'un bleu très doux. Des orchestres jouaient dans les cafés proches. Une béatitude surnaturelle s'élevait en lui, comme s'il eût pressenti, au-delà de ses affres présentes, un univers de calme et d'amour qui ne lui était pas défendu.

VII

Le lendemain de son arrivée à Paris, Gérard reçut une longue lettre de Marie-Claude. La jeune fille lui annonçait que Vigneral l'avait demandée en mariage et que, sur le conseil même d'Elisabeth, elle avait résolu d'accepter. Suivait un développement lyrique sur les qualités de cœur et d'esprit de Vigneral et sur l'avenir radieux qui les attendait en ménage. Elle était heureuse, disait-elle, que le garçon qui l'aimait fût un excellent camarade de son frère. Ce ne serait pas un étranger qui entrerait dans la famille, mais quelqu'un de connu, d'éprouvé par avance. « Il te trouve très sympathique et souvent nous parlons de toi. »

Elisabeth avait ajouté quelques lignes, pour expliquer que cette union lui paraissait tellement souhaitable qu'elle n'imaginait pas que Gérard pût être d'un avis contraire.

Aussi avait-elle suggéré à Marie-Claude de télégraphier la « bonne nouvelle » à Vigneral, qui se « desséchait d'inquiétude à Paris ».

Cette hypocrisie révoltait Gérard. Marie-Claude avait eu peur de lui apprendre de vive voix ses projets. Elle avait attendu qu'ils fussent séparés pour rallier Elisabeth à sa cause et assener le coup. Peut-être même n'avait-elle admis leur départ que dans l'espoir des avantages que lui réserverait cette fausse manœuvre de son frère ? Si elle avait osé faire allusion devant lui à son mariage, elle se doutait bien qu'il l'eût bousculée, retournée, convaincue au premier assaut. Elle avait préféré le frapper par derrière, en plein silence, en pleine accalmie. Et sa sœur aînée, qui remâchait la rancœur de tant de défaites, avait guidé le bras.

Gérard était atterré par l'évènement. Il passa une journée à détester ses sœurs et à méditer de sournoises vengeances. Il n'avait pas dit son dernier mot. Une riposte demeurait possible. Le soir même, il écrivit à Vigneral pour le convoquer chez lui. S'il ne pouvait agir sur Marie-Claude, il agirait sur l'homme qu'elle aimait. Mille arguments lui venaient à l'esprit, et il les classait avec une précision méchante. Vigneral était un faible. On aurait tôt fait de lui serrer la bride. Il ne serait pas Gérard Fonsèque s'il échouait en face de ce lamentable adversaire.

Le pneumatique qu'il avait expédié à son camarade fixait l'entrevue pour le lendemain à trois heures. Dès deux heures et demie, Gérard commença de s'impatienter. Il avait renvoyé la femme de ménage. Il marchait d'une chambre à l'autre, malgré sa fatigue, travaillant amoureusement les formules dont il se servirait contre son camarade. Il avait envisagé toutes les hypothèses : Vigneral gêné, et il lui expliquait à quel point sa situation médiocre, ses goûts dépravés, auraient dû lui interdire l'idée d'une pareille demande. Vigneral furibond, et il lui clouait le bec en lui répétant les paroles mêmes que le jeune homme avait prononcées jadis : « Si j'épouse une femme, ce sera pour boucher les trous entre deux liaisons... Le mariage, c'est pour les chasseurs paresseux... Je ne suis pas de cette race... » Vigneral attendri, et il le prenait par les sentiments : « Le bonheur de Marie-Claude avant tout !... Etait-il sûr de pouvoir la rendre heureuse ?... En tant que frère, il se permettait d'en douter... »

Il l'installerait au salon, dans ce fauteuil, près de la fenêtre, où sa mère s'asseyait autrefois. Il lui parlerait debout, pour le dominer de la taille. Il débuterait paisiblement, mais, si l'autre opposait la moindre résistance, il monterait le ton, il crierait au besoin.

Quoi qu'il arrivât, Vigneral ne quitterait pas la maison avant d'avoir cédé.

Gérard entra dans le salon, inspecta la disposition des meubles, feuilleta l'album de photographies sur l'étagère. Les dernières pages étaient consacrées aux mariages de Luce et d'Elisabeth.

L'ARAIGNE

Trois heures sonnèrent à une petite pendule flanquée de personnages en biscuit. Gérard prêtait l'oreille aux pas qui gravissaient l'escalier. Mais toujours ils dépassaient son étage. Il se sentait béant d'angoisse comme à la veille d'un examen. Ne rien oublier. Ne pas perdre la tête. Dans sa poche, il prit le brouillon du pneumatique qu'il avait envoyé. Il avait bien écrit : « Trois heures. » Et il avait souligné les mots : « Une conversation d'une extrême importance. » Bon. Il faisait chaud, mais il ne voulait pas ouvrir la fenêtre, de peur que, de la place, on n'entendît leurs éclats de voix.

A trois heures et demie, un coup de sonnette le glaça. Les jambes faibles, le souffle perdu, il s'avança dans l'antichambre. Il n'avait pas revu Vigneral depuis l'enterrerrement de sa mère. Il imagina ce visage rouge et sec, ces dents de loup, ces prunelles pâles à fleur de tête. Et chaque détail rappelé attisait sa rage. Il ouvrit la porte. C'était Lequesne.

— Vous ? s'exclama Gérard.

Le jeune homme était sans chapeau, sans manteau. Sa figure semblait plus maigre et ses yeux plus grands, plus noirs qu'autrefois. Il souriait avec une gentillesse tranquille.

Gérard recula vers le mur.

— Je suis de passage à Paris, dit Lequesne. Mais je repars ce soir même pour Londres. J'étais venu vous voir au début de la semaine. Vous n'étiez pas là. Votre concierge m'a dit...

Gérard abasourdi, furieux, ne songeait pas à le faire entrer.

— Je vous dérange, peut-être ?

Ah ! oui, il le dérangeait ! On eût dit qu'il avait choisi pour sa visite le seul moment où Gérard ne l'eût pas souhaitée ! Il fallait l'éconduire avant que Vigneral n'arrivât.

— Vous étiez en train de travailler ? dit Lequesne.

— Oui... Mais surtout j'attends quelqu'un... Je ne peux pas vous recevoir... Plus tard, demain, par exemple...

— Demain, j'aurai quitté Paris.

Gérard s'affolait à la pensée que, d'une minute à l'autre, il entendrait le pas de Vigneral dans l'escalier.

— Vous partez demain ? Eh bien ! tant pis, que voulez-vous que je vous dise ? Si vous m'aviez seulement prévenu...

Il haussait la voix, mais, devant le regard surpris de son camarade, il s'excusa aussitôt :

— Pardonnez-moi... Je suis un peu énervé... Une entrevue importante... Si je me libère avant la fin de l'après-midi...

Bien que Lequesne ne pût être au courant de rien, Gérard avait l'impression d'être deviné, compris et jugé en silence. Une gêne triste le vidait de toute inspiration.

— Mon train est à sept heures quarante, dit Lequesne. Je vous attendrai de six heures et demie à sept heures et demie, au buffet de la gare.

— Parfait, dit Gérard.

Il essuya sa main contre son pantalon avant de la lui tendre. A ce moment, un pas rapide ébranla l'escalier.

— Partez, partez ! cria Gérard.

Mais déjà Vigneral arrivait aux dernières marches :

— Lequesne ! Je vous croyais en Amérique !

— En Angleterre.

— Pour moi, c'est tout comme !

Il pivota sur les talons et saisit Gérard aux épaules :

— Tu sais la nouvelle ? Je parie que tu n'en reviens pas ! Moi non plus, d'ailleurs ! Il vous a mis au courant, Lequesne ?

— Mais non.

— Eh bien ! cramponnez-vous solidement. Je me marie. Et avec qui ? Un, deux, trois. Personne ne répond ? Avec Marie-Claude !

Il riait dans une sorte de haut-le-corps triomphal. Il avait une mine superbe.

— Ça vous laisse rêveur ? Non, ne me félicitez pas : rien n'est encore fait, puisque Gérard m'a mandé par pneumatique. Il va me poser des questions précises sur mon état de santé, mon hérédité vénérienne, mes moyens de fortune, mes diplômes universitaires, mes opinions politiques, mes « espérances ». Et si j'échoue à l'examen, crac ! Privé de dessert ! Il est terrible, vous savez ! Sacré Gérard !... Allons, ouvre le feu : « Monsieur, avant de vous confier la destinée de ma sœur, il est de mon devoir d'exiger de vous quelques éclaircissements. De fâcheux bruits circulent sur votre compte que vous n'aurez pas de peine à démentir, sans doute ! »

La stupeur assommait Gérard. Il n'avait pas imaginé que leur entretien pût être engagé sur ce mode grotesque. Il se rappelait, dans un désarroi croissant, des bribes de phrases qu'il avait préparées et dont aucune ne s'accordait avec les circonstances. Se fâcher paraîtrait ridicule. Bouffonner compromettrait le gain de la partie. Il était débordé, roulé par les événements.

Vigneral paradait toujours, magnifique d'aisance et de bêtise :

— Alors ? tu te décides à m'interroger ? Je dispose de vingt minutes, mon vieux. Dans vingt minutes, je bondis dans un taxi et le taxi m'emporte chez un client rouspéteur qui m'a convoqué pour quatre heures et quart précises. Un type dans ton genre, quoi ! qui n'a pas confiance dans la marchandise livrée ! Deux dans la journée, c'est beaucoup ! Mais je suis d'attaque !

Gérard était devenu livide. La haine, la honte faisaient trembler sa mâchoire. Des gouttes de sueur coulaient à travers ses sourcils :

— J'ai à te parler sérieusement, dit-il d'une voix sourde.

— Quand je vous disais que tout était fichu ! s'exclama Vigneral, avec une grimace comique.

Lequesne se mit à rire. Et Gérard sentit que son assurance l'abandonnait. Ses plans de combat supposaient un Vigneral sans poids, sans volume, un fantôme, une fumée de la raison. Et voici que, devant cet être de chair et de sang, tous ses préparatifs s'avéraient illusoires. Il se reconnaissait pitoyable, égaré, en face de celui qu'il avait prétendu convaincre. Il perdait pied dans une confusion de comédien novice. Il protesta cependant :

— Je ne plaisante pas. Tu vas rester. Tu vas m'écouter...

— Tant que tu voudras... à condition que ton discours ne dépasse pas dix minutes. Je ne te cache pas d'ailleurs que je préférerais reporter ce plaisir à un autre jour. On serait moins bousculés. Rien ne presse, j'imagine. Songe, beau-frère probable, que nous aurons toute la vie pour nous asticoter. Tu n'envisageais pas ça, lorsque je t'aidais à faire la sirène au lycée ! Mais je m'égare. Fixons un rendez-vous. Veux-tu lundi en huit, à six heures au... « Rond-Point ». J'allais dire au « Toc-Toc Bar ». A propos, pas un mot de Tina à la petite, hein ? J'ai rompu en douceur. Toutes amarres coupées, je vogue vers le mariage ! Quatre heures ? Je file.

Gérard, éperdu, fit un pas vers la porte pour lui barrer le passage. Mais Vigneral ne bougeait pas et se grattait la tête d'un air méditatif.

— J'y pense ! s'écria-t-il tout à coup. Si je pars sans que tu m'aies rien dit, je vais me ronger d'inquiétude pendant une semaine. Tu ne me connais pas. Je suis un hypersensible. Tu pourrais peut-être m'apprendre en quelques mots ce que tu voulais de moi, beau-frère imminent !

Etait-il sincère ou se moquait-il encore ? Que dire ? Que faire sans basculer dans le ridicule ?

— Il m'est impossible de t'expliquer quoi que ce soit entre deux portes.

— Sans me dire tout, tu pourrais au moins me mettre sur la voie.

— Non. D'ailleurs tu n'es pas en état de m'entendre.

— Je ne partirai pas avant que tu m'aies rassuré.

C'était lui qui insistait à présent, avec des mines de pitre, et Gérard, défaillant, lamentable, souhaitait que la scène se terminât au plus tôt.

— Vite, vite. Je n'ai plus que deux minutes, implorait Vigneral.

— Va-t'en.

— Ah non ! ce serait trop facile ! On dérange les gens ! On sème l'angoisse dans les cœurs ! Et puis on se dérobe !

— Je te supplie de t'en aller.

— Qu'avez-vous, Fonsèque ? Vous êtes tout pâle, dit Lequesne.

— Qu'il s'en aille !

— Mon beau-frère me chasse ? Mais alors, c'est la rupture. La « rrrupture ». Non, sois tranquille, je ne vois vraiment pas ce qui pourrait m'empêcher d'épouser Marie-Claude. Envoie-moi un mot pour me raconter ta petite affaire. Et souviens-toi de notre rendez-vous : lundi en huit, à six heures. Lequesne, je vous confie ce beau-frère en chrysalide. Prenez-en soin. C'est un drôle de numéro. Mais je l'aime bien quand même ! Quatre heures cinq ! Ce n'est plus un taxi qu'il me faudrait, mais une Micheline !

La porte retomba sur son rire large et gras d'homme sain. Appuyé au radiateur éteint de l'entrée, Gérard écoutait décroître une galopade heureuse dans l'escalier. C'était fini. Il avait perdu. Il était perdu. Pourquoi l'avait-il laissé partir ? Pourquoi n'avait-il pas résisté, crié ? Pourquoi n'avait-il pas dévalé les marches à sa suite ? Il ne comprenait pas ce qui s'était passé en lui. On eût dit un abandon fulgurant de la grâce. Des distances infinies s'étaient déployées entre les jeux de son esprit et leur accomplissement dans le monde. Il avait pris conscience de son humilité. Il était las et morne. Encore un mariage, le dernier mariage. Encore un homme, le dernier homme, dressé entre ses sœurs et lui. La boucle était close. Le rempart était sans brèche. Il était seul à jamais.

— Il ne faut pas que vous restiez ici, Fonsèque. Sortons. Je vous promets de ne pas vous interroger.

Il se laissa conduire dans un café. Lequesne choisit la table et commanda les consommations. Gérard buvait de l'eau de Vichy à gorgées distraites. Lequesne parlait de son existence à Londres, dans une famille anglaise. Il était très content. Ses élèves étaient sympathiques. Il profitait de ses loisirs pour visiter à fond les musées et les bibliothèques de la capitale. Il projetait d'écrire une étude sur Swift.

— Pourquoi êtes-vous parti ? demanda Gérard.

— Je vous ai promis de ne pas vous poser de questions. Ne pouvez-vous me faire la même promesse ? Ce que je vous dirais, d'ailleurs, vous semblerait incompréhensible. Vous n'avez jamais éprouvé le besoin de bifurquer hors d'une voie que vous aviez élue. Vous n'avez jamais renoncé à un combat parce que la certitude de sa vanité vous éblouissait tout à coup. On lutte, on désespère. Et brusquement la vie est si simple, le ciel si tranquille, le remède si proche et si doux. On attend. Les blessures les plus profondes se referment. Il ne faut pas se raidir contre la douleur. Il faut l'accueillir, s'en laisser baigner, traverser, imbiber comme une éponge. Rien n'endort un chagrin comme de ne pas chercher à s'en guérir. Pourquoi ne viendriez-vous pas à Londres pour quelques jours, après le mariage de Marie-Claude ? Votre mère pourrait vous accompagner. Je compte appeler la mienne au mois de septembre.

— Ma mère est morte, dit Gérard.

Ils restèrent dans le bistrot jusqu'à sept heures et quart. En face d'eux était assis un vieillard à chevelure pisseuse. De lourdes joues pendaient de part et d'autre de son nez comme des mamelles. Une cigarette était fichée dans sa lippe, telle une fistule dans une plaie. Son expression était grave.

— C'est un courriériste de *l'Aurige*, dit Lequesne. On

le rencontrait souvent aux «Deux Magots». Un pauvre type, au fond. Un intellectuel raté, aigri, malade...

L'homme redemanda de la bière. La lumière baissait. Une désolation infinie accablait Gérard.

— Venez, mes valises sont à la consigne, dit Lequesne.

Le vieillard avait sorti un calepin et prenait des notes.

Le quai de la gare était grouillant de monde. Des chaînes de voiturettes transportaient les bagages. Une locomotive entra sous la verrière dans un halètement de catastrophe. Un coup de sifflet énervé perça le vacarme des machines. Il faisait chaud. L'air sentait la vapeur, le charbon. Sur un tableau immense, des portillons s'ouvraient, des pancartes apparaissaient, disparaissaient, et la foule levait la tête. Lequesne avait retenu sa place. Sur le marchepied de son wagon, une grosse femme rougeaude, mafflue, vêtue en violet faisait ses adieux à une jeune fille chlorotique.

— Prends la vie comme elle vient, l'argent pour ce qu'il vaut, les gens pour ce qu'ils sont. Et encore une fois merci pour tes accompagnements !...

Une brouette passa, chargée de livres et de journaux.

— Adolphe ! cria quelqu'un. Il paraît que c'est sur l'autre quai !

Lequesne monta dans son compartiment. Son visage surgit à la fenêtre du couloir. Gérard s'avança. Il était assourdi, excédé. Il regardait au-dessus de lui cette face maigre aux yeux noirs, tranquilles, magnétiques. L'approche du départ conférait à Lequesne une sorte de beauté délivrée et triste. Il n'était plus de cette ville, de cette vie. Il était loin déjà. Gérard ne trouvait rien à dire. Et l'autre non plus ne disait rien. Un remous agita les têtes autour d'eux.

— Encore deux minutes ! cria la grosse dame en violet.

Lequesne tendit la main à son camarade.

— Gérard, dit-il, croyez-moi : la vie ne s'obtient pas, elle s'accepte.

Et il souriait avec une étrange douceur.

Lorsque le train s'ébranla, Gérard sentit un arrachement horrible dans sa poitrine. Il contemplait le wagon de queue qui s'éloignait, indifférent, trapu et gris, avec son échelle dressée, raide, et son fanal vitreux.

La foule s'écoulait lentement vers les guichets. Le quai, jadis noir de monde, apparut interminable et désert. Sur l'asphalte poudreux, traînaient des épluchures d'orange, des mégots.

La conscience de sa solitude étreignit Gérard. Personne. Il n'y avait personne auprès de lui. Et, quand il rentrerait à la maison, il n'y serait accueilli par personne. Et, quand il se réveillerait demain, il ne verrait personne à son chevet. Il sortit, acheta un journal.

Le ciel était d'un bleu crépusculaire, caressant et las. Un vent léger jouait avec la poussière des rues. Gérard ne sentait plus vivre son corps. Ses jambes le portaient, il ne savait où. Parfois, une vitre de magasin lui renvoyait l'image de sa face mal rasée et suante. Une femme lui prit le bras :

— Tu viens, chéri ?

Il pressa le pas. Il héla un taxi pour lui échapper.

Sous les arcades de la place des Vosges, il dérangea un couple qui s'embrassait. L'homme leva la tête. Il était jeune. Sa bouche était barbouillée comme une plaie. Il respirait fort, tel un nageur entre deux plongées. La forme haillonneuse d'un mendiant dormait, affalée contre un pilier. Deux juifs en lévite sortirent du square. Des enfants se poursuivaient en criant. Soudain, il y eut un grand silence. Et de nouveau les cris reprirent, aigus, discordants.

Des papiers avaient été glissés sous la porte d'entrée. Pas de lettres. Mais des prospectus de grands magasins. Un courrier de vieille fille, songeait-il.

Dans la salle à manger — si vaste tout à coup, et si vainement solennelle — la table était mise pour un couvert. L'assiette, le verre, le plat de viande froide, formaient une oasis serrée au bord du désert blanc et glacé de la nappe. La lumière morne de la suspension étouffait la figure des choses. Les chaises étaient poussées contre le mur et leur dossier de cuir gardait l'empreinte des épaules qui s'y étaient jadis appuyées. On eût dit un repas de fantômes, où chacun avait conservé sa place. Et c'était bien cela, en effet. Il était cramponné, pauvre larve humaine, à l'extrême pointe du néant. La pièce n'était pas trop grande pour toutes ces absences. Le silence n'était pas trop profond pour toutes ces voix intérieures. Il fixa des yeux ce vide, en face de lui, d'où quatre visages le contemplaient naguère. Et un flot de souvenirs déferla pour surcharger sa détresse. Dans une confusion de rêve, il imaginait ses trois sœurs, sa mère, et elles le regardaient, et elles lui parlaient, et elles ne s'occupaient que de lui. Il n'y avait plus d'hommes dans la maison, dans la rue. Il n'y avait plus d'hommes nulle part. Personne ne pouvait les lui reprendre. Personne ne pouvait le priver d'elles. Et elles ne désiraient pas une autre joie que celle de le servir et de l'aimer. Une douceur triste lui remontait dans la gorge. Que tout cela était impossible et charmant ! Comme ses songes et la réalité se trouvaient loin de compte ! Que faisaient-elles à présent, ses trois sœurs ? Pas une qui le plaignît, qui le comprît, qui renonçât pour lui à l'immonde plaisir du bas-ventre. Marie-Claude même, la plus affectueuse et la plus fine des trois, rejoignait le bétail humilié des autres.

Il essaya d'admettre cette perspective atroce : l'avenir sans Marie-Claude. La maison morte. Les repas solitaires. Le silence. « Attendre, » disait Lequesne. Attendre quoi ? Il avait la sensation exacte que *plus rien ne pouvait arriver*. Il revit en mémoire le vieillard adipeux du bistrot. Il deviendrait comme lui, peut-être, un plumitif méchant et malpropre. Il aurait des espoirs rabougris, des haines méticuleuses. Il obtiendrait une rubrique. Il la perdrait. Il serait « dans la littérature ».

Il se versa de l'eau et la carafe, heurtant le verre, fit un son énorme et pur qui l'irrita.

Le silence revint, ce silence ouaté qui buvait toutes les approches autour de lui, qui le confinait au bout du monde, qui le tuait lentement. Il n'avait ni l'envie, ni le courage de manger. Il repoussa l'assiette. Il se leva. Dans le corridor, il ouvrit une à une les portes des chambres. Partout, il alluma les lampes. Et, pendant quelques minutes, la maison lui parut habitée. Elles étaient là. Elles allaient surgir au tournant du couloir. Il entendrait leurs voix, leurs rires. « Une ceinture torsadée t'engoncera la taille, Luce... » Mais aucun signe humain ne dérangeait le décor où elles avaient vécu.

La conscience de son isolement l'atteignit à nouveau dans un ressac horrible. Personne ne pouvait assumer son désarroi, comme personne ne pouvait manger, boire, aimer, vivre pour lui. « La vie ne s'obtient pas, elle s'accepte. » Qu'avait voulu dire Lequesne ? Comment accepter ce qu'on n'avait pas espéré d'abord ?

Il éteignit une à une toutes les lumières. C'était comme s'il eût recréé derrière lui un abîme de ténèbres et de désolation. Il songea qu'il était semblable à ces gardiens de cimetière qui passent de tombe en tombe, avant de regagner, au fond de la nuit, la petite bicoque aux vitres de clarté huileuse. Il entra dans sa chambre. Il devait être neuf heures. La fenêtre était ouverte et on entendait aboyer au loin. Sur la table, il retrouva sa traduction inachevée : « Mrs Ploughman déboucha le flacon chinois où elle conservait une décoction de semences de colchique et... »

C'était le dénouement d'une histoire banale. La dose de poison versée par Mrs Ploughman ne tuait pas son mari, mais déterminait de forts vomissements, et le médecin, convoqué d'urgence, sauvait la victime et confondait la meurtrière. Il restait quinze pages à traduire. Gérard s'assit devant son bureau.

Cependant, il n'écrivait pas. Il regardait droit devant lui. Et, tout à coup, il porta la main à son front. Simuler un empoisonnement. Terrifier ses sœurs. Les ramener à son chevet, repentantes, peureuses, apitoyées... Il prendrait une dose inférieure à celle indiquée dans le livre, afin d'éviter de trop violents maux de cœur. De la sorte, il serait malade, mais ne courrait pas le moindre danger. Ah ! certes, il acceptait de payer d'une crise de foie le bonheur de reconquérir Marie-Claude ! Car, après cette alarme, la jeune fille refuserait d'épouser Vigneral. Elle mesurerait au geste de son frère l'importance du chagrin qu'elle lui causait. Elle redouterait que son obstination ne poussât Gérard à quelque autre tentative désespérée. Il la connaissait bien. Il en ferait ce qu'il voudrait en la menaçant de sa mort. Comment n'y avait-il pas songé plus tôt ?

— Maladroit ! Maladroit !

Mais il fallait encore se procurer le poison. Il se rappela soudain que, lors de sa crise de rhumatisme, on avait voulu le soigner avec des granules de colchicine. Il en avait absorbé deux ou trois le premier jour, mais le docteur, appelé le lendemain, avait remplacé ce médicament par du salicylate. Il avait conservé le flacon. Il prendrait huit granules de colchicine au lieu de trois, et le tour serait joué. Il importait aussi de calculer la date et l'heure de l'empoisonnement, afin que ses sœurs, alertées par lettre, pussent arriver à temps pour le voir souffrir. Des détails tout cela, des détails !...

Déjà, en esprit, il composait son message à Marie-Claude : « Lorsque tu liras ces lignes... » Il évoquait la stupeur à toutes les trois, devant le lit où il se tordrait de douleur, les maudissant à voix haute et appelant la mort. Une allégresse frénétique le possédait. Il ne put se retenir de pousser un cri. Il frappa ses mains l'une contre l'autre. Et, brusquement des larmes jaillirent de ses yeux.

— Enfin, enfin ! balbutiait-il, comme s'il avait entendu un pas de femme dans la maison.

VIII

Gérard posa une enveloppe sur la table de chevet, entre le flacon de colchicine et le verre où restait encore un fond d'eau minérale. Puis, il s'allongea doucement sur le lit. Il avait pris un bain dans la matinée. Il s'était parfumé. Il avait rangé ses papiers et ses livres.

A présent, étendu sur le dos, les bras au corps, le regard fixe, il attendait. Un goût amer poissait sa bouche. A plusieurs reprises, il crut éprouver une douleur vague à l'estomac. Mais elle disparaissait bientôt, et seule sa tête lui faisait un peu mal. « Je n'ai pas dû en prendre assez, » pensait-il. Toutefois, il craignait d'augmenter la dose. Il calculait que Luce, prévenue trois heures plus tôt par pneumatique, arriverait d'une minute à l'autre et, comme il avait écrit la veille à Elisabeth et à Marie-Claude, les deux sœurs pourraient être là au début de l'après-midi.

La manœuvre était réglée avec une précision démoniaque. Mais, pour qu'elle réussît, il importait qu'il fût réellement malade. Or, il ne sentait rien. Le roman policier parlait d'une secousse violente, de nausées, de vomissements : « Une convulsion subite le tordit comme un pin sous la bourrasque. » Il se souvint de cette phrase et il eut peur.

— Puisqu'il le faut ! Puisqu'on ne peut pas faire autrement ! disait-il d'une voix basse.

Il regarda sa montre. Deux heures déjà s'étaient écoulées depuis qu'il avait absorbé le poison. Mais, d'après le bouquin anglais, l'effet de ce toxique était assez lent. Une dose de cinq grammes de semence en décoction n'agissait qu'au bout de trois heures. Encore le héros de l'histoire n'en mourait-il pas. Gérard n'avait avalé que huit granules à un milligramme de colchicine. C'était raisonnable. Trop raisonnable, peut-être. Il avait toujours ce goût âcre de poussière sur les lèvres. Sa bouche brûlait. De la langue, il remuait une salive abondante et chaude.

Il ferma les yeux, les rouvrit.

Il contemplait, en face de lui, le dos sage des livres. Il entendait la rumeur de la place des Vosges. C'était l'heure où les jeunes Américaines des « Cours d'Arts Appliqués » se répandaient sous les arcades, belles, dédaigneuses et suçant d'énormes oranges à cachet violet. Luce devait être en route, ainsi qu'Elisabeth et que Marie-Claude. Avait-on sonné ? Mais non, le timbre d'une bicyclette de gosse retentissait dans le square. Il se rappela qu'il avait renvoyé la femme de ménage et que la porte d'entrée était fermée à clef. Il fallait l'entrebâiller pour que ses sœurs ne perdissent pas de temps à la faire ouvrir par le concierge.

Il se dressa, marcha jusqu'à l'antichambre, tira le battant. Mais, brusquement, il dut s'appuyer au mur. Qu'avait-il ? Sa gorge flambait. Sa tête était lourde, douloureuse, pleine d'un vrombissement d'hélices. Il revint lentement à son lit. Comme il levait une jambe pour se recoucher, un nouveau malaise le poigna au ventre. Il poussa un cri. Il s'affala sur les couvertures, éperdu, grelottant :

— Mon Dieu ! Mon Dieu ! marmonnait-il. Je crois que ça commence...

Des nausées le saisirent, mais il ne vomit rien. Une sueur froide et visqueuse coulait sur sa figure. Il se versa de l'eau minérale et s'affola du bruit que faisaient ses dents contre le bord du verre. Il remarqua aussi qu'il ne sentait pas le récipient dans sa main, comme si ses doigts fussent devenus gourds et glacés. Il s'arrêta de boire. A présent, il avait peur de bouger. Il appelait faiblement :

— Marie-Claude !... Luce !... Elisabeth !...

Pourquoi n'arrivaient-elles pas ? Ne souffrait-il pas assez par leur faute ? Fallait-il qu'un retard absurde prolongeât encore ses tourments ? Et s'il s'était trompé ? S'il avait absorbé une dose mortelle ? Si personne ne devait venir ?

Le silence amplifiait son mal. Il lui semblait qu'une

présence humaine eût suffi à le soulager. Un visage, des mains tendus vers lui.

Tout à coup, il entendit claquer la porte d'entrée. Des pas couraient dans le corridor. Il crut s'évanouir de joie :

— Luce ! Luce, c'est toi ?

Contrairement à son attente, ce furent Elisabeth et Marie-Claude qui pénétrèrent dans la chambre.

— Gérard !

Egarée, balbutiante, la jeune fille se penchait sur lui, l'entourait de ses bras, lui baisait la face.

— Où as-tu mal ? Qu'as-tu pris ? Quand ? Pourquoi ?

Leurs questions se croisaient autour de lui et il suffoquait de plaisir au spectacle de cette terreur affectueuse.

Elisabeth lui lavait la figure avec un linge trempé d'eau tiède. Marie-Claude lui tâtait le pouls. Leurs traits exprimaient une angoisse adorable. Leurs doigts tremblaient en s'approchant de lui. Leur voix se dissolvait d'émotion au bord de leurs lèvres. Elles étaient telles qu'il les avait souhaitées !

— Remonte-lui ses oreillers.

— Peut-être faut-il une bouillotte ?

— Parle, Gérard ! Dis quelque chose ! Joseph est allé chercher un médecin. Tu ne vas pas plus mal ?

— Je vais mieux, gémit-il.

Et, de fait, au cœur même de la souffrance, il éprouvait une impression de douceur infinie et de paix.

Tellier arriva bientôt, accompagné du docteur. Luce et

Paul Aucoc les suivaient de près. La chambre était pleine de monde. Gérard, blême, ratatiné, baigné de sueur, respirait très vite en roulant des yeux fous. Ses doigts se crispaient sur les draps. Ses lèvres pendaient dans une grimace de clown.

— Du calme, du calme, répétait Tellier.

Il avait son air des grandes occasions : viril et organisateur. Paul Aucoc tortillait le nœud de sa cravate. Luce courait çà et là dans l'appartement, à la recherche d'on ne savait quoi.

Le docteur prit le flacon de colchicine sur la table de nuit.

— Combien avez-vous absorbé de granules ?

Gérard ne répondit rien et détourna la tête vers le mur. « Si j'avoue n'en avoir avalé que huit, il va deviner ma supercherie, il va rassurer mes sœurs », songeait-il. Or, il ne voulait pas qu'elles fussent rassurées. Leur affolement l'aidait à supporter sa douleur. Il souffrait toujours autant, et la persistance du mal l'inquiétait. Se pouvait-il que, pour une dose aussi faible, les symptômes fussent aussi violents ? Il défaillait. Il bavait comme un enragé.

— A cause de vous... A cause de vous, tout ça ! geignait-il.

On lui fit une piqûre de caféine à la cuisse. Il se mit à hurler en mordant ses poings.

— Préparez du café très fort, dit le docteur. Ensuite, vous lui donnerez du tanin en solution. Je vais rédiger l'ordonnance.

Le café bu, Gérard fut pris de vomissements. Des convulsions atroces le secouèrent. Il se recroquevillait, il se détendait en catapulte sur la courtepointe salie de vomissures.

— Ce n'est pas trop grave, n'est-ce pas ? demandait Luce.

Le médecin entraîna les trois sœurs dans le corridor. Lorsqu'elles revinrent, leur mine défaite effraya Gérard :

— Pourquoi est-ce qu'elles pleurent ? Qu'est-ce que vous leur avez dit ? Je veux savoir ! Ils parlaient de cinq grammes en décoction dans le livre... alors huit granules de un milligramme, ce n'est rien...

Une panique lamentable s'était emparée de lui. Il implorait d'une voix hoquetante :

— Ce n'est rien ?.... Ce n'est rien, dites ?...

— En décoction ou en cachet, ça fait une sacrée différence ! s'exclama Tellier, en arrondissant des yeux de technicien.

— Puisque ce n'est pas vrai ?... Puisque je ne voulais pas ?... Quoi ?... Quoi ?... Je vais mourir ?... Vous n'osez pas l'avouer ! Mais ce n'est pas possible ! Soignez-moi ! Sauvez-moi !...

Il s'agrippait au veston du docteur. Il touchait, il baisait les mains velues de cet inconnu.

Tout à coup, il se rejeta en arrière :

— C'est de leur faute ! Elles m'ont abandonné, elles m'ont trahi ! Voyez ! voyez !... Il a fallu que je me suicide pour qu'elles viennent à mon chevet ! Trop occupées sans doute !... Des scélérats, des brutes, voilà ce qu'elles m'ont préféré ! Elles couchent avec eux !... Elles se moquent de moi !... Qu'est-ce que ça peut leur faire que je souffre, pourvu qu'elles aient leur sale petit plaisir à heure fixe !... Vous ne les connaissez pas ! Elles sont pires que des bêtes ! Elles ne pensent qu'à ça ! Elle ne vivent que pour ça ! Elles se sont toutes servies à leur faim ! Aucoc ! Tellier ! Vigneral !... Que font-ils dans cette chambre ?... Que font-ils dans *ma* maison ?... Ils sont venus me voir crever !... Je ne veux pas de leurs sales gueules autour de moi ! Qu'ils sortent ! Qu'ils sortent !... Je veux rester seul avec mes sœurs ! Elles sont à moi ! Je ne les donnerai à personne !...

Le docteur fit signe à Joseph et à Paul de s'éloigner. Gérard parut en éprouver quelque soulagement. Il suffoquait. Il répétait d'une voix rauque :

— Ah ! je vous tiens maintenant... Vous êtes revenues... Près de mon lit... Là... Touchez-moi un peu... Dieu que j'ai mal !...

Il rendait du sang. Il tendait sa face au menton souillé vers leurs mains, vers leurs robes. Il les regardait, il les respirait, et des larmes ruisselaient sur son visage détruit :

— Pourquoi êtes-vous parites ?... Vous n'étiez pas bien avec moi ?... Tu n'étais pas bien avec moi, Marie-Claude ?... Ah ! si je guérissais seulement !...

— Mais bien sûr, tu guériras. Nous habiterons tous ensemble...

Marie-Claude étouffait des sanglots dans un mouchoir de poupée. Elisabeth, épouvantée, dure, livide, s'était assise près de son frère et tenait une cuvette sur ses genoux. Luce caressait de ses longs doigts soignés les cheveux trempés, le front gluant du malade. Elle était démaquillée par les pleurs. Le rimmel avait coulé de ses cils sur ses paupières. Le rouge de ses lèvres avait déteint sur les joues.

— Remaquille-toi. Je veux que tu sois belle, souffla Gérard.

Il ferma les yeux. Il avait un peu moins mal... Il se croyait reporté à cette époque lointaine où ses sœurs venaient s'installer autour de son lit parce qu'il était enrhumé. Elles étaient près de lui, comme jadis, jeunes, parfumées, aimantes. Il savait les robes qu'elles préféraient et les mots qui les faisaient rire. Et leur attention était pendue à lui comme une grappe. « La vie ne s'obtient pas... elle s'accepte... » La vie... la vie... Il lui sembla qu'il avait vécu faussement, et que ses sœurs vivaient faussement, et que tout était faux autour d'eux et en eux. Il voulut expliquer ce qu'il éprouvait. Mais les mots fuyaient hors de son esprit comme des fumées. « C'est très important », songeait-il. Il se souleva sur ses coudes.

De nouveau, une foudroyante douleur à l'abdomen le tordit. Ses entrailles cuisaient. Un travail affreux emplissait son ventre, habitait son ventre, comme une main. Il avait soif. Il haletait. Il rêvait qu'un corps de femme immense, nu, lourd, remuant, s'abattait sur lui, luttait avec lui. Et dans sa bouche entrait et demeurait une langue épaisse et molle telle un paquet de glaise. On lui jetait de la terre au visage. On l'ensevelissait vivant. Comme sa mère. Sous la pluie. Entre des murailles de boue d'où saillaient des racines écorchées.

— Je ne veux pas ! glapissait-il. Faites quelque chose !... A boire !...

Les vomissements reparurent, mêlés de bile et de sang. Il dégouttait de sueur. Des crampes le nouaient et le détendaient tour à tour. Plusieurs fois, le corps se banda, prenant appui sur la tête et sur les talons. Ensuite, la température baissa, le pouls se ralentit et sa faiblesse devint extrême.

— Ce n'est pas une dose très forte, expliquait le docteur. Je lui ai administré les antidotes classiques. Mais il faut compter avec la sensibilité individuelle du malade. Le nôtre n'a pas les reins bien solides.

A onze heures du soir, on dut coucher Marie-Claude, rompue par la fatigue et par le chagrin. Elle répétait inlassablement qu'elle était la seule responsable du drame et qu'elle n'aurait pas assez de toute sa vie pour l'expier. Elle se leva au milieu de la nuit pour pénétrer dans la chambre de Gérard. Mais, à la vue de ce visage transparent, aux pupilles dilatées, aux lèvres bleues, elle s'évanouit.

La matinée fut calme. Le soleil entrait largement par la

fenêtre ouverte. On entendait ruisseler les fontaines de la place des Vosges. Des gosses criaient. Un sourire pacifié relâcha le visage du malheureux. Il murmura :

— Que fais-tu demain, Marie-Claude ?

Puis, sa tête roula sur l'oreiller, et il ne prononça plus une parole jusqu'à la fin. Il mourut à quatre heures de l'après-midi.

Ce deuil retarda de quelques mois le mariage de Vigneral et de Marie-Claude.

FIN

Cet ouvrage a été reproduit
par procédé photomécanique
SOCIÉTÉ NOUVELLE FIRMIN-DIDOT (Mesnil-sur-l'Estrée)
pour le compte de la LIBRAIRIE PLON
76, rue Bonaparte, 75006 Paris

Achevé d'imprimer le 5 août 1993

Imprimé en France
Dépôt légal : août 1993
N° d'édition : 12303 – N° d'impression : 24356